日本再興

経済編

グローバリズム支配から
日本を取り戻し、
世界をリードする財政・通貨革命

松田 学
参政党代表　松田政策研究所代表

方丈社

日本再興

経済編

まえがき

いま「インボイス制度」導入は正しいのか？

「インボイスが発行できないなら、悪いけど、おたくにはもう発注できなくなるな」

中小零細企業や個人事業主、フリーランスの人たちのなかで、インボイス制度導入に伴って仕事も職も失うのではないか、という不安で頭を悩ます人たちが激増しています。

さきほどのセリフは、次のように続きます。

「だって、ウチはあなたと取り引きしていたら仕入税額控除を受けられなくなって利益が減るわけだからさ。課税事業者登録をしている人に、代わりに請《う》けてもらうしかなくなるよね。今まで長いことお世話になってきたけど、悪く思わないでよね……」

インボイス（適格請求書）制度の導入が迫ってきています。

それ、何のこと？　という方も多いでしょう。制度施行の流れや全体の背景、メリットやデメリットなどについて、詳しくは本文をお読みいただくとして、現状のままなら2023年10月に開始され、数年間の段階的な猶予期間は設けられていますが、財務省によって決められた工程表どおり、既定の事実として進められていくはずです。

その場合、「インボイスなんて自分には関係ない、と思っていたけど、今まで続けてきた仕事の発注がまるでこなくなった、どうしよう?」とか、「インボイスの発行に必要な事務負担増に対応しきれないから、この機に会社をたたむことにした。もう無理だよ」、あるいは「仕事を回してもらえなくなると思って課税事業者にはなったけど、実質収入減で生活レベルがガクンと下がった」などというケースが続出することが予想されます。

仕組まれていた日本の〝失われた30年〟

私は、財務省(大蔵省)勤めを長くしていましたから、自ら「税の論理」で仕事をしていたこともありますし、なぜ彼らが〝そう考えてしまうのか〟についても、よく理解できます。

ただ、結論を先に言ってしまえば、今、**このタイミングでインボイス制度導入を強行するのは、「税の論理」にだけ導かれた「木を見て森を見ず」の過《あやま》ちだと思います。**

足元で物価は上昇しているといっても、日本経済そのものは未だに「デフレ経済」です。それは主要国の中で、日本だけが30年にわたって賃金が上がらない国だったことが象徴しています。この状態が続いている限り、日本は、今もなお〝経済有事下〟にあると言えます。

平時で経済が順調に成長している間は「税の論理」を前面に出してよいかもしれませんが、有事においては、「経済の論理」に基づく積極財政と金融緩和を全面展開して、**まずこの「デフレ体質」を払拭することを最優先課題とすべきです。**

全てはそこからです。アベノミクスは、まだ未完です。

何事にも、その時その時の状況に応じた優先順位というものがあります。

本書では、目の前に迫っているインボイス制度導入に関する問題を切り口に、「税の論理」と「財政の論理」、そして「経済の論理」が登場します。

それぞれにはそれなりの言い分があります。そのうえで、それらをどうバランスさせて正しい政策を導くのか、これは政治の大きな役割ですが、皆さまにも考えていただく契機になればと思います。

〝失われた30年〟と言われるとおり、世界の中で日本だけが経済成長できず、所得が増えなかったのはなぜでしょう？

勤勉と言われてきた日本人が急に怠《なま》け者になったり、能力が落ちたりしたのでしょうか？

「何かがおかしい」と考えないほうがおかしいと思います。

実は、**20世紀末の「ワシントン・コンセンサス」**以降、日本が国民経済として成長しにくい構造が定着していきました。１９９０年代には米国を中心とするグローバル勢力のもとで、日本は「第２の経済占領」を受け、国民が汗水たらして生み出した富が、海外を豊かにするほうへと回っていく経済が築かれてきました。

本書では、日本が窮乏化するように仕組まれてきた歴史や経緯についても明らかにします。

ただ、日本にお金がないわけではありません。日本は世界一の債権大国です。

日本が本来持っている力を日本国民のためにもっと使えるようにするためには、お金の流れを日本に取り戻さなければなりません。

そのために必要な積極的な財政支出を阻《はば》んでいるのは、私たち日本人自身に根づいてしまっている間違った思い込みかもしれません。

「日本の国債債務残高は膨大で、国民一人ひとりが莫大な借金を背負わされている」

「プライマリー・バランスを守らなければ財政破綻する」……そう信じ込んでいる方が多いの

ではないでしょうか。

本書では、私が「カイカク真理教」と呼ぶプロパガンダによる洗脳を打破し、日本の本当の独立の礎《いしずえ》となる経済の盤石な土台を築くための現実的な提案をしていきます。

「徹底したリアリズム」が、その基本にあります。

人間本位のデジタル通貨革命で日本の時代になる

日本の〝失われた30年〟は、ちょうどインターネット革命の時代と重なりますが、今、時代は大きな転換期を迎え、ブロックチェーン革命とデジタル通貨革命の時代が始まりつつあります。

通貨の概念も人類史上始まって以来の大転換を迎えようとしています。

ここで懸念されるのは、この革命で先行している中国のシステムに日本が飲み込まれ、支配されてしまうことです。

その前に、日本発の、日本人にとってメリットのある「デジタル通貨経済圏」を構築する必要があります。

私は長年、ブロックチェーンなどの情報技術に間近で接してきました。日本人はこの分野で素晴らしい適性を持ち、世界に次々と新たな社会モデルを生み出せる国民だと確信しています。そして、膨れ上がった国債の償還問題も、私が提案する通貨革命によって一気に解決できます。

通貨は、単なる金銭的価値の交換だけでなく、それ自体がさまざまな情報や価値に関わる機能を備えたものに変わっていきます。これで日本の国民性を活かした多種多様なコミュニティが百花繚乱《りょうらん》の如く花開く……**デジタル通貨革命の時代**こそ、日本の時代です。

そして、日本人であるからこそ、ブロックチェーン革命を〝**人間中心の社会**〟を取り戻すために活《い》かすことができるはずです。

その革命の全体像を構想したのが松田プランです。

グローバリズムを象徴する言葉に「今だけ、金だけ、自分だけ」がありますが、これとは正反対の国民性を、日本人は長い歴史を通じて営んできました。

日本がこれから目指すべきなのは、日本らしい「新たな国民国家」です。

素晴らしいコミュニティを再創造し、国民一人ひとりが豊かで笑顔に満ちた幸福な国柄を取り戻す。それは、世界で進められているグローバル全体主義への流れの対極にある姿です。

本当の意味での日本を取り戻し、世界に大調和を生む国になる。そんな国づくりをし、子や孫に伝えていくことこそが、参政党をつくり、みんなで考え、多くの国民に共鳴の輪を広げようとしている私たちが目指すものです。
日本の将来に対して悲観的になる必要はありません。
本書では経済面を中心に「日本再興」への道を考えてみました。
日本の未来を考える一助になれば幸いです。

2023年3月

松《まつ》田《だ》 学《まなぶ》

目次

3章 財政の論理を乗り超えるために

知っておきたい〝国債の物語〟と国民本位の財政運営基盤づくり 129

5章 松田プランはルネサンスだ

おわりに

デザイン　八田さつき
DTP　山口良二

1章

緊急提言
STOP！ インボイス

今は「税の論理」のときではない

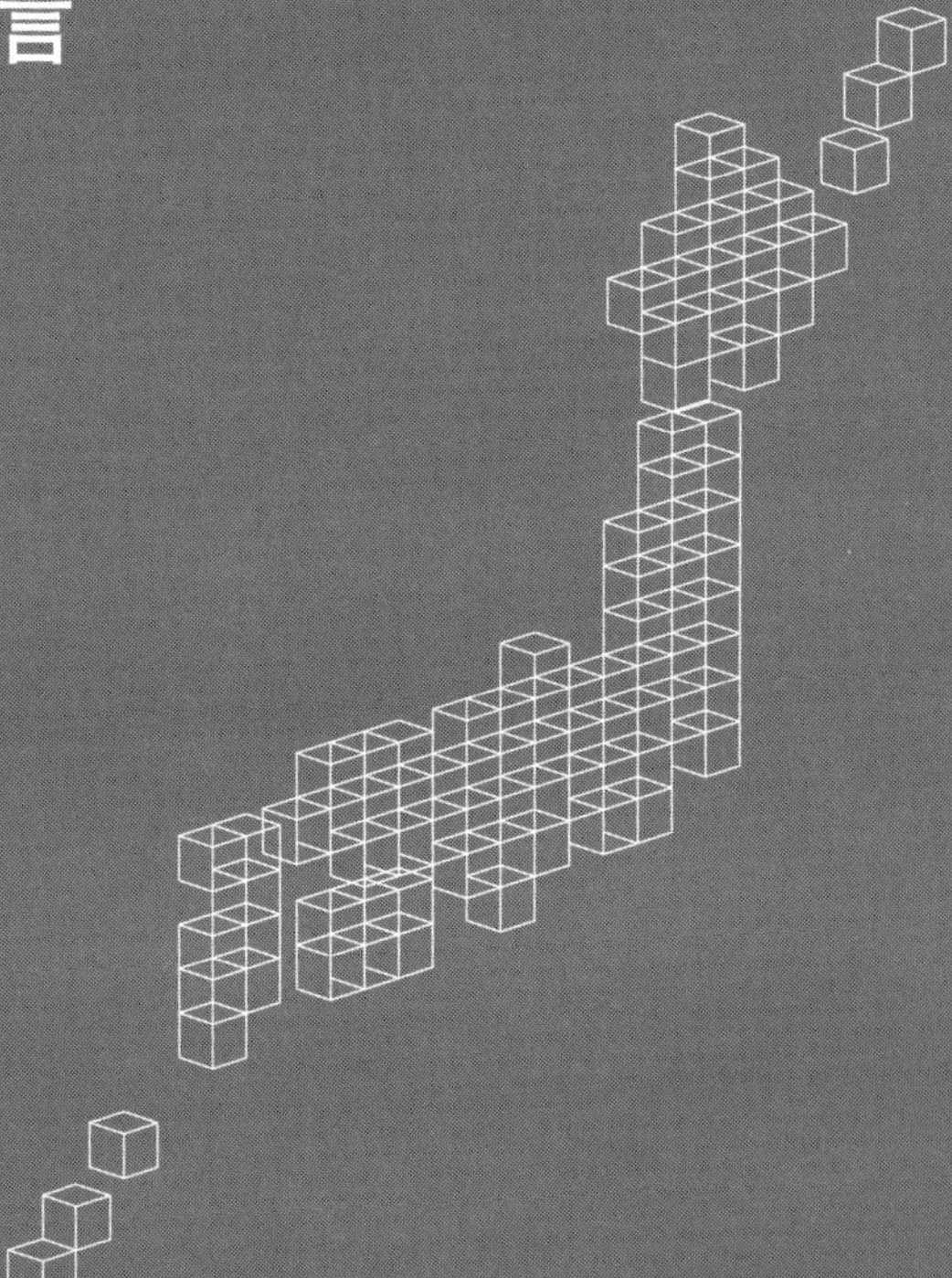

そもそもインボイス制度導入は、今、本当に必要な状況なのか？

インボイス制度を、２０２３年の日本経済の状況下で実施すべきなのでしょうか？

そもそも、インボイスとはどういうことなのかを知るために、その導入が検討されてきた背景と経緯を簡単に振り返ってみましょう。

それには、まず日本の消費税の仕組みについて理解していただく必要がありそうですので、駆け足でご説明していきます。

消費税と「税の論理」

社会の高齢化が進むにつれ、社会保障費の支出が増加することは、皆さんすでにご承知のことと思います。年金や医療や介護の負担がどうしても増すからです。

これら社会保障費（社会保障給付）は、基本的に保険料で賄《まかな》われています。

保険の仕組みを一言で説明するなら、相互扶助《ふじょ》、つまり多数の人が金銭（保険料）を出し合い、その資金から必要な人に対して給付する制度ということになるでしょう。

年金にしても、健康保険にしても、介護にしても、基本的には社会保険料の中から保険金が支払われるという形で社会保障給付を賄うのが基本の仕組みです。ということは、国自体が一種の保険会社を運営しているようなものだとも言えます。

しかし、高齢化が加速し、社会保障費の支出額はどんどん増大する一方で、保険料を負担する現役世代の人口比率が大きく下がってしまい、保険料の原資が不足する事態になって、その不足分を国や地方自治体のお金で補助しなくてはならなくなってきました。

これがもし民間の保険会社であれば、実はとうに破綻《はたん》しているでしょう。

しかし、日本の人口構成が「逆ピラミッド型」であるため、これは構造的に避けられません。そこで、保険料を補う財源となっているのが消費税です。

日本の消費税の税収は、この社会保障費に全額充《あ》てられているのですが、全額充ててもまだ足りなくて、国が国庫負担で出している分についてみると、その半分もカバーできておらず、残りの半分以上を借金（国債）で補っている。大きくとらえるとこんな図式ということになります。

消費税の税収の行き先は明確に決まっていて、①年金、②医療、③介護、④少子化対策の4つです。

この4つに充当されることは法律で決まっているので、たとえば政府の他の懐《ふところ》に入ったりとか、公務員の給与に回ったり、補助金に回ったりということは一切ありません。

しかし、社会保障費の不足分は年を追うごとにどんどん増大していくため、「現在の10％でもとうてい足りない、だからもっと税率を上げていく必要がある」という主張が、財務省の主張する「税の論理」からは出てくることになります。

私はずっと増税以外の選択肢を提案していますが、今の財政と金融の仕組みを変えないまま国家運営を進めていくという前提なら、そう言わざるを得ないという現実があります。

公明党が押し込んだ軽減税率の導入が制度を複雑化し、インボイス導入の呼び水に

簡単に消費税の歴史をおさらいしておきましょう。

1988年、竹下登《たけしたのぼる》内閣で消費税法が成立し、翌1989年4月から税率3％で消費税が導入されました。その後、1994年の自社さ連立時代の村山富市《むらやまとみいち》政権の時に5％にする法律を決め、1997年に橋本龍太郎《はしもとりゅうたろう》内閣がこれを実施しました。

さらに、2014年の第2次安倍政権時に8％に、さらに2019年10月には10％に引き上げられたわけです。しかし、この引上げは、安倍さんの本意ではありませんでした。8％、そして10％への段階的引上げ自体は、2012年の民主党政権（野田佳彦《のだよしひこ》内閣）時代にすでに決まっていました。民主党、自民党、公明党の「3党合意」の結果です。

積極的に財政出動をしてアベノミクスを推進するため、消費税引き上げを避けたかったの

が、野党から政権に戻った安倍さんの本音でした。

2014年に8%に引き上げた際に消費が抑制され、アベノミクスでせっかく持ち上がりかけた景気がガタンと落ち込んでしまった苦い経験もあり、次の引上げを2回も延期したのですが、結局、3党合意で決まっていた10%への増税を実施することになりました。

これは、あの安倍さんにして「財務省の論理」というものを十分乗り越えることができなかったとも言えます。


10%への引き上げ時には、連立与党である公明党のほうから「軽減税率」が適用される品目を入れてほしいとの強い要望が出ました。食料品などの生活必需品を8%のまま据え置いてほしいということになりました。

財務省側としては、税収はできるだけ多くしたいですし、10%くらいの税率であれば、一部の商品に軽減税率を適用していたずらに制度を複雑にすることには反対でした。

ところが、常に「弱者に優しい政党」という立場を標榜している公明党は、かなり強硬でした。時には正論を曲げてでも弱者に配慮しているようにみせる、よくあることです。

食品など生活必需品は他の一般の商品とは区別して、軽減税率を導入して8%に留めおく。これは、一見国民の利益に寄り添った良い策のようにみえますが、異なる2つの税率が同時に存在することになると、実際に納税事務をする事業者にとっては、これまでより色々とややこしいことが起きることになります。

結果として、インボイス制度を導入する話になっていったわけです。

消費税と同じタイプの税＝世界各国で導入されている付加価値税

日本の消費税は、欧州諸国では1960年代から順次導入されてきた「付加価値税」の仕組みを取り入れて作られたものです。欧州は、各国で運用の差はありますが、どの国でも、平均するとだいたい20％程度の税率の「付加価値税（VAT＝value-added tax）」を実施しています。もちろん、これは欧州以外でも多くの国々で実施されている税です。

図1（諸外国等における付加価値税率）は、付加価値税制度を営んでいる国々の付加価値税率を比較したものです。

税率が最も高いのはハンガリーの27％、次に高いのは25％のデンマークなど北欧諸国が並んでいます。G7ではイタリアが22％、英国とフランスが20％、ドイツが19％、欧州以外のカナダが13％で、いずれも日本の10％よりも高い税率です。

主要国でいえば中国も付加価値税を営んでいて、税率も13％と日本よりも高くなっています。欧州諸国に比べると、日本も含め東南アジアや豪州などアジア太平洋諸国では10％前後かそれ以下と、比較的低い税率になっています。

傾向としていえるのは、高齢化が進んでいる欧州諸国の税率は20％前後かそれ以上なのに対し、世界で最も高齢化率の高い日本の税率はその半分ぐらいとなっていて、付加価値税率をみる限りでは、日本の税制がまだ高齢化に対応しきれていないような印象も与えます。これが先進国で最も財政状態が悪い原因だというのが、財務省の立場でしょう。

米国の売上税とは異なる付加価値税の仕組み

なお、G7の中でも米国は付加価値税を導入しておらず、これに近い税制として売上税が営まれています。これは他国の付加価値税とは異なり、国の税制ではなく、州政府が管轄しており、連邦政府からは課せられていません。商品やサービスを提供するに際して、販売者が購入者から売上税を徴収し、州や地方自治体の税務当局に申告・納付する税です。

何を課税対象の商品・サービスにして何を非課税にするか、税率はどうするかなどはすべて、各州や地方自治体が自由に決定し、税率は0～7・25％と州によって異なります。

売上税は、消費者が販売者に代金を支払う際に、その販売価格に含まれている税金であるという意味では付加価値税と同じですが、消費者への販売の段階でのみ課税される点で、付加価値税とは大きく異なります。

付加価値税の場合は、生産、流通、販売といった取引のすべての段階で、それぞれの段階で生み出された付加価値を対象に課税され、それを順次、価格に上乗せする（これを「転嫁」すると言います）ことで、最終的に消費者が支払う価格に全額が上乗せされます。これによって消費者は、これら各段階で課税され、それぞれの事業者が納税する消費税の全額を負担することになります。

また、付加価値税では、流通取引での前の段階の事業者が納税する消費税額を、次の段階の事業者が納税する消費税額から差し引く（これを「控除」すると言います）ことで、各段階で生み出された付加価値に応じた税額を各段階の事業者が納税することになります。

煩雑なようですが、メリットは何かといえば、一つの事業者の税金控除が他の事業所の納税義務になることになり、それがお互いを拘束し合うことで、税金のごまかしが売上税よりも起こりにくい仕組みになっているといえます。

本書で論じるインボイスは、この「納税義務」と「税金控除」の事業者間でのやりとりを証明するもので、適正で公平な課税をより確実にする方式として、日本以外の付加価値税制の国々では定着している制度です。

米国の人は間接税が好きでない？

この点で、帳簿への記帳が十分ではない零細商店などで課税の逸脱が起こりやすいという欠点が売上税にはありそうです。それなのに、米国で消費税のような付加価値税が導入されていないのは、間接税が良い制度ではないと認識されているからです。確かに、付加価値税と同じく間接税である米国の売上税の税率も0～7・25%とかなり低いです。

間接税は法人税と違って、企業からみると消費者から預かったお金ですから、企業が赤字であっても納税しなければなりません。

自由で独立心の強い米国ではベンチャー企業が次々と設立されていますが、誕生したばかりの企業の場合、創業時の設備投資などで資金繰りが苦しいことが多く、そうした企業にも消費税のような間接税を課すと財務状況が悪化し、最悪、倒産に至ってしまうかもしれません。そうした事態は避けたいという考え方が米国にはあります。

米国ではベンチャー企業が続々と生まれて成功を収めることが多く、このことが米国経済の活性化に寄与していることの背景には、税制も影響している可能性があります。

それに対して日本では、設立3年以上が経ち、売り上げが1000万円を超える企業は、消費税を納めなければならず、それが経営を圧迫することも少なくありません。

米国の売上税は正確には「小売売上税」ですが、これは、小売業者が消費者に販売するときのみ課税されます。なので、税を支払うのは消費者だけであり、実際には流通の各段階の事業者が転嫁できずに負担を飲み込んでしまっている消費税とは異なる点です。

企業に納税義務を負わせる税制として、法人税のほうが付加価値税よりも優れていると考える米国の思想を表わすものとして、1960年代の米財務省の報告書には次のような記述があるそうです。

「赤字企業が法人税を支払わなくて済むことは、その企業にとっても経済全体にとっても有効である。たとえどんなに効率的で革新的な新規ビジネスであっても、収益構造が確立するまではある程度の時間がかかる」

このように見てくると、事業者の活力と課税の普遍性、つまり、「経済の論理」と「税の論理」のどちらに比重を置くか、米国と欧州との間には思想の違いがあるといえそうです。

この点で日本は、歴史の長い国であるがゆえに官僚制が社会に根付いている点で欧州と共通項の多い国として、税制も欧州に近い考え方をとっているといえるかもしれません。

付加価値税の仕組みのより詳細な説明に入る前に、ここでもう少し、小売税について説明を加えておきたいと思います。

小売税から付加価値税へ

小売税とは売上額を対象に課税される税で、製造、卸売、小売のすべての取引段階に課される多段階売上税と、いずれか一段階だけに課される単段階売上税があります。

多段階で全取引に対して課税される売上税は「取引高税」と呼ばれますが、前段階から仕入れた原料や中間財の価値を差し引いた付加価値への課税ではないので、低い税率でも多額の税収をあげることができます。ただ、前段階までの取引で課された税が取引価格の一部に入っているため、二重、三重に税が累積していくことになります。

単段階売上税は、課税される段階によって製造者売上税、卸売売上税、小売売上税とよばれ、多段階売上税に比べると対象企業数が少なくなるので行政的には徴収がラクですが、同じ税収を徴収するためには税率を比較的高くしなければならないのが欠点です。

製造、卸売、小売の全取引に課税される取引高税の場合、完全に垂直統合された製造会社なら、最終製品で小売される製品の売上高に取引高税を掛け合わせた額の税額を一度払うだけとなりますが、各生産段階が異なる企業ですと、それぞれの売上高に税率を掛けて支払った税額が、次の生産段階の仕入れ額に含まれてしまい、その税に対して税がかかるという累積効果が生じてしまいます。

ですから、同じ率の取引高税でも税額は垂直統合された企業のほうが少なくて済むことになり、税の累積を回避するため、企業側には垂直的統合を促す誘因が生まれます。これでは、税制に求められる経済活動に対する中立性の原則に反してしまいます。

この取引高税は、間接税中心の税体系を持つ大陸欧州の諸国で古くから採用されてきましたが、現在のＥＵの前身であるＥＣ（欧州共同体）が域内貿易を拡大するために１９５７年に加盟各国の売上税の整理を決め、１９６７年にはこれに代わり、付加価値税の採用を決定した経緯があります。その後、加盟各国で付加価値税へと移行していきました。

日本でも第二次世界大戦後の１９４８年9月から取引高税という名称で実施されましたが、シャウプ勧告で不公平な税制として指摘され、１９４９年12月に廃止されました。

所得の低い人にはつらいのが逆進性、これを克服するための軽減税率

付加価値税制度は以上に述べた売上税のデメリットを克服し、間接税としての完成度を高めたものですが、それでも残った大きな問題として「逆進性」があります。これは、付加価値税（消費税）が消費者が負担するものであるため、同じ商品・サービスを購入した場合でも、低所得者ほど、所得に対する負担の度合いが高くなってしまうという問題です。

そこで、家計の支出のうち、低所得者ほど大きな割合を占めているのが食料品などの生活必需品であることに着目して、付加価値税率が日本よりも高い国々のほとんどが、食料品には低い税率を適用しています。他の一般の商品・サービスとは区別して適用される低税率のことを「軽減税率」と言い、「標準税率」よりも低くなっています。

図1をご覧いただくと、この軽減税率の状況が国によってまちまちであることがわかります。標準税率の高い欧州諸国の多くは食料品には軽減税率で課税していますが、なかには、標準税率が25％と高い水準であるにも関わらず、軽減税率制度をいっさい設けていないデンマークのような国もあります。

デンマークの場合、軽減税率は、①財政収入を減らしてしまう、②付加価値税の徴収を複雑化してしまう、③適用品目をしゅん別することが難しい、④税をゆがめるという理由で導入していません。また、高所得者は食料品に対しても相応の支出をするので、高所得者のほうが軽減税率による負担軽減効果が大きくなることも同国では指摘されています。逆進性への対策は、むしろ、社会保障給付で行うほうが効率的だという見方もあります。

このデンマークの考え方は、軽減税率のあり方そのものを考えるうえで、無視してはならない論点だと思いますので、頭に入れておいていただければと思います。デンマークの付加価値税の効率性は、ＥＵ加盟国の間では高いものと評価されています。これは本書で問題提起をするインボイスの事務負担の問題にも関係してくる論点です。

欧州各国の複数税率事情

付加価値税の逆進性を緩和する方策としては、もう一つ、食料品などをゼロ税率（制度上は課税対象でも税率がゼロなので実質的には課税されません）にしたり、そもそも非課税の品目（制度上、課税対象からは除外）とする方法もあります。日本でも欧州でも、土地の譲渡や賃貸、金融、保険、医療、教育、福祉などが非課税になっています。

欧州では英国がゼロ税率を採用し、付加価値税の逆進性を緩和しています。政策的な配慮から、ゼロ税率が、食料品だけでなく、家庭用水道水、書籍・新聞・雑誌など、幅広い品目に適用されています。また、これとは別に5％の軽減税率が設けられていて、家庭用などへの燃料や電力の供給などが対象となっています。

他方で、アジア諸国など付加価値税の標準税率が低い国の場合、食料品が非課税となっている国が多いという傾向がみられます。そもそも軽減税率とは、欧州のように標準税率が高い国々で、税率が高いからこそ、それとの差を大きくつけることで政策的な配慮を狙うものだと思います。日本も低税率国の一つとして、8％と10％には大きな差がないのですから、例えば景気が悪いときなどには食料品は非課税扱いかゼロ税率にして、他の品目との差を大きくする

図1　諸外国等における付加価値税率（標準税率及び食料品に対する適用税率）の国際比較

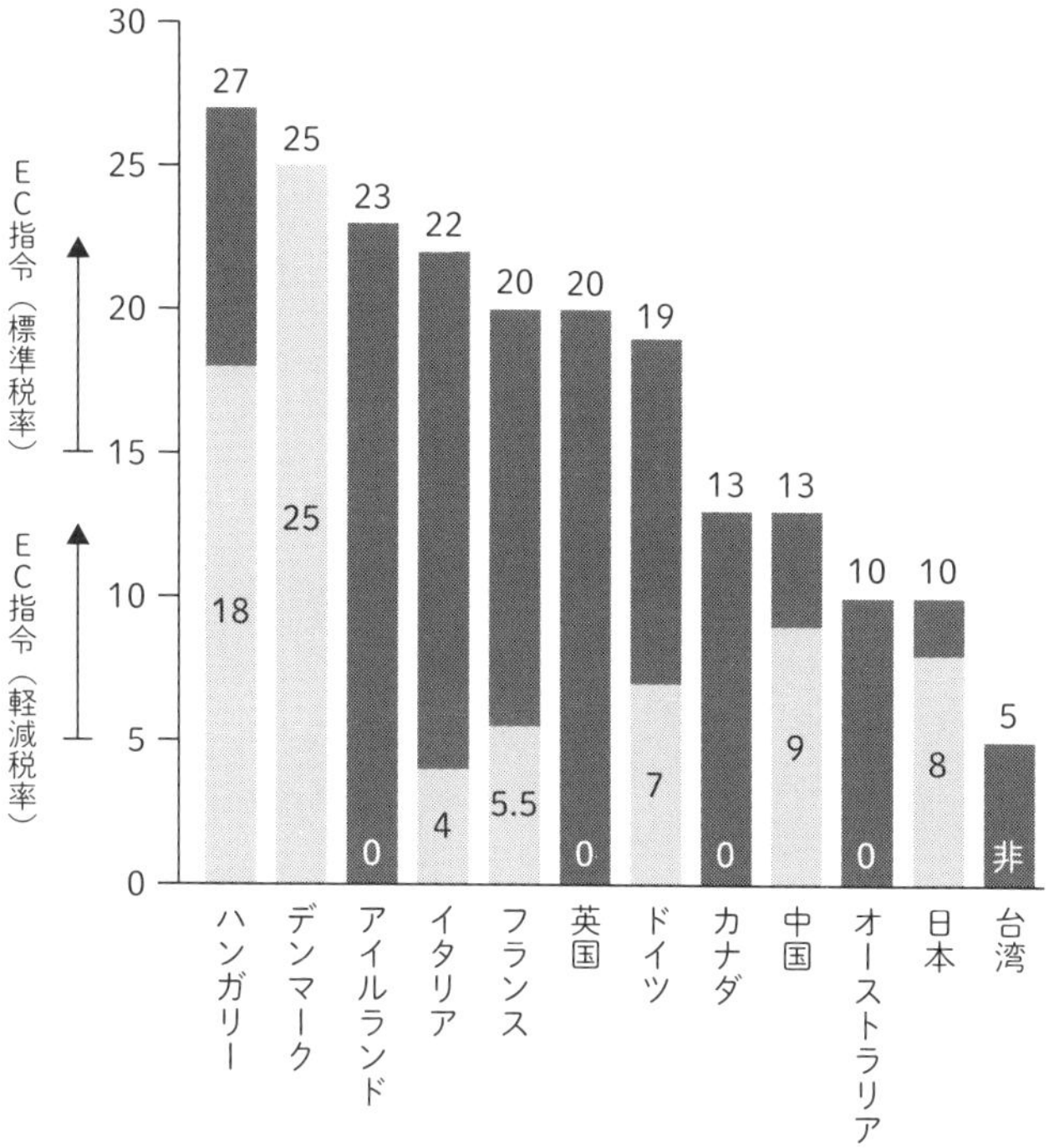

（注）上記中、▒が食料品に対する適用税率。「0」と記載のある国は、食料品についてゼロ税率が適用される国。「非」と記載のある国は、食料品が非課税対象となる国。

【出典：財務省・2022年1月現在。原図版と詳細は下記QRコードから】

ことを考えてよいかもしれません。

軽減税率を多用することで逆進性に配慮している点で特徴的な国としては、標準税率が20％のフランスが挙げられます。同国では、「旅客輸送、宿泊施設の利用、外食サービスなどに対する10％」、「食料品や、水道水、書籍などに対する5・5％」、「新聞、雑誌、医薬品などに対する2・1％」と、3本の軽減税率が設けられています。

軽減税率の種類が増えれば増えるほど税制は複雑化し、徴税コストも莫大なものになるでしょう。ちなみに、G5の中でもフランスは最も国家公務員の数が多く、人口当たりでは日本の4倍以上の数となっています。

複数税率をとっている国の中でも、比較的簡素なのがドイツの付加価値税です。標準税率が19％の同国では軽減税率は7％の1本だけです。ただ、それは食料品だけでなく、水道水、新聞、雑誌、書籍、旅客輸送、宿泊施設の利用など、幅広い品目が対象です。

なお、標準税率が25％と高くても軽減税率が設けられていない国として、デンマークのことを前述しましたが、そのデンマークでも、デンマーク語の保護という理由と政治的な理由で、例外的に、新聞に対してゼロ税率を適用していますし、非課税品目の種類は他の欧州主要国と同様、多数にのぼります。

このようにみてくると、税率が高い欧州では、税率が高いだけに、ゼロ税率や軽減税率の対象にすることで社会的配慮を手厚くすることが求められ、結果として税制が複雑化し、徴税コストも高くなっているようです。複雑であれば、徴税を効率化するためにインボイスが不可欠になることが頷《うなず》けます。

日本の消費税にも非課税や不課税の品目がある

では、比較的低税率の国に分類される日本はどうなのでしょうか。

実は、日本にも消費税がかからない品目は多数あります。ここで、そもそも付加価値税としての消費税がかからないものは何なのかについて触れておきたいと思います。

もともと消費税の区分は、①課税、②非課税、③不課税、④免税の4つに分かれます。

このうち、

②の非課税とは、消費税という税の性格になじまないものや社会政策的配慮から、消費税がかからないことにしている取引です。日本では、土地の譲渡や貸付け、預金の利子、印紙、社会保険診療、学校教育などが非課税取引です。

③の不課税とは、そもそも消費税の課税の対象である「国内において事業者が事業として対価を得て行う資産の譲渡等と輸入取引」に当たらない取引には、当然にして消費税はかからないということです。国外取引、対価を得て行うことに当たらない寄附や単なる贈与、給与や補

助金、出資に対する配当などがこれに当たります。
④の**免税**とは、国内で消費されない取引です。輸出商品や免税店で外国人が購入する商品がこれに該当します。
このように、お金のやりとりがあればすべてに消費税がかかるのではなく、①の課税取引に入るのは、前述の「国内において事業者が事業として対価を得て行う資産の譲渡等と輸入取引」のうち、②の非課税取引とされたもの以外ということになります。

この①課税取引の中で、日本の消費税では、10％の税率がかかる取引と、8％の軽減税率がかかる取引が区分されていて、後者の軽減税率8％が適用されるのは、
（1）酒類と外食を除く飲食料品
（2）週2回以上発行される新聞（定期購読契約に基づくもの）
の2種類のみとなっています。

税率の高い欧州諸国の多くが多数の品目に複数の税率を適用しているのと比べると、10％と比較的税率の低い日本の消費税は、より簡素な仕組みになっています。これはインボイスの必要性の切迫度合いも、欧州に比べて低いことを意味するといえるでしょう。

図 2 諸外国における付加価値税の概要（抄）

		日本	フランス	ドイツ	英国
施行		1989年	1968年	1968年	1973年
非課税		土地の譲渡・賃貸、住宅の賃貸、金融・保険、医療、教育、福祉 等	土地の譲渡（新築建物の建築用地を除く）・賃貸、中古建物の譲渡、建物の賃貸、金融・保険、医療、教育、郵便 等	土地の譲渡・賃貸、建物の譲渡・賃貸、金融・保険、医療、教育、郵便、福祉 等	土地の譲渡（新築建物の建築用地を除く）・賃貸、中古建物の譲渡、建物の賃貸、金融・保険、医療、教育、郵便、福祉 等）
税率	標準課税	10%	20%	19%	20%
	ゼロ税率	なし	なし	なし	食料品、水道水（家庭用）、新聞、雑誌、書籍、国内旅客輸送、医薬品、居住用建物の建築（土地を含む）、新築建物の譲渡（土地を含む）、障害者用機器 等
	軽減税率	酒類・外食を除く飲食料品、定期購読契約が締結された週2回以上発行される新聞〔8%〕	旅客輸送、宿泊施設の利用、外食サービス 等〔10%〕 食料品、水道水、書籍、スポーツ観戦、映画 等〔5.5%〕 新聞、雑誌、医薬品 等〔2.1%〕	食料品、水道水、新聞、雑誌、書籍、旅客輸送、宿泊施設の利用、スポーツ観戦、映画 等〔7%〕	家庭用燃料及び電力 等〔5%〕

【出典：財務省・2022年1月現在。原図版と詳細は下記QRコードから】

1％刻みで税率を上げたこともあるドイツの付加価値税

以上みてきた複数税率は、それぞれの国の政治が社会政策的な配慮で決めているものですが、同じ社会政策的配慮を付加価値税制で行う方式として、もう一つ、付加価値税によって得られる税収の使い道をもって社会政策的配慮を施す方法があると思います。長らく軽減税率を導入してこなかった日本では、消費税収の使途を法律で社会保障支出に限定する形で、この方法を実行してきました。

消費税法第1条第2項「消費税の収入については……毎年度、制度として確立された年金、医療及び介護の社会保障給付並びに少子化に対処するための施策に要する経費に充てるものとする」

どの国でも付加価値税は基幹的な財源として、通常、一般財源とされていて、日本のような社会保障目的税的な仕組みを採っているのは例外的といえます。その意味でも、日本で軽減税率を導入しなければならない必然性は他国より低かったといえます。

ただ、ドイツでは1998年と2007年の税率引上げに際して、引上げによる増収分が、公的年金の財源や社会保険料の引下げに充当されることになったという事例があります。

このドイツの付加価値税に関しては、現在の19％の標準税率までの税率引上げの過程について、今後の日本の消費税を考える上でも知っておいたほうが良い話があります。

ドイツの付加価値税は、前述の売上税の欠点が認識され、１９６８年に導入されたものですが、当初はいまの日本と同じ10％でした。それが石油ショック後の景気対策としての所得税の減税の財源確保のために、１９７８年から標準税率が毎年、１％ずつ引き上げられて14％になりました。

その後、ＥＵが加盟国の付加価値税率は15％にしなさい（軽減税率は５％に）という指令を１９９２年に出したことから、１９９３年には15％に引き上げられました。

税をどうするかは各国の国家主権ですが、ＥＵは域内各国間の経済統合を円滑化するために、こんなことまで指示しています。

そして１９９８年には、公的年金に対する補助金の財源確保のために16％になりました。

日本のように消費税率を２０１４年に５％から８％へと一挙に３％も引き上げられたのに比べると、こうした１％の小刻み増税は、景気に対する配慮という点からも参考になります。もし、経済の側で毎年の生産性の上昇率を１％引き上げる運動を労使一体で進めることができれば、税負担の増加はこれに飲み込まれてしまうことも考えられるでしょう。

ただ、毎年のように税率がコロコロと変わると、値札を張り替えたりするなど、事業者の側の負担が大きくなってしまいます。この点、後述のように消費税の自動計算などのソフトやデジタル基盤を整備することが、日本の場合は課題でしょう。

税率の引上げは景気の良いときにするのが世界の常識

このドイツでも2007年には、16％から現在の19％へと一挙に標準税率を3％引き上げる増税が行われました。これは、2005年の連邦議会選挙の結果を受けた増税でした。当時のドイツでは、EUが定めるマーストリヒト条約による通貨統合の参加基準である「財政赤字のGDP比率を3％以下に抑えること」が、2002年から未達という状況でした。

財政赤字の解消が急務となっていて、この選挙では、当時のシュレーダー首相率いる社会民主党（SPD）が所得税の最高税率の引上げ（42％→45％）を、その後首相になったメルケル党首率いるキリスト教民主社会同盟（CDU／CSU）が付加価値税の増税を公約に掲げて戦いました。

日本では、「選挙では増税の一語を出すだけでもタブー」と言われますが、なんと、与野党がともに増税を掲げて国政選挙をしたのです。それは同じ増税でも、直接税負担か間接税負担かの争いでした。

結果はメルケルの勝利で、大連立政権のもと、２００７年からの付加価値税率の19%への引上げと、所得税の最高税率の45%までの引上げが実施されることになりました。

いずれも増税！　ここで着目すべきなのは、財政規律を重視するドイツ国民の政策リテラシーの高さよりも、増税によっても当時のドイツ経済がビクともしなかったことでしょう。

リーマンショック前は経済が比較的好調だったことは当時の日本も同じでしたが、このチャンスに消費増税の議論すら封印した小泉政権も、経済の「上げ潮」路線に乗っていた第一次安倍政権も、こうした増税のチャンスを活《い》かしませんでした。

そのツケが回ってきたのが、２０１４年という、リーマンショックからの立ち直りがまだ不十分なデフレ経済のもとで、消費税率をドイツと同じ3%の幅で引き上げたことによる景気の腰折れでした。これは、１９９７年に3%から5%へと引き上げてから17年ぶりの増税だったのですが、政治的に増税を先送りしていた結果、社会保障費のうち国債で賄われる部分が相当程度増大していたため、デフレ経済を深刻化させることになりました。

つまり、せっかく増税して社会保障費に税収を全額充てても、社会保障支出の増大に充てられたのはうち2割だけで、残りの8割が、社会保障費の財源を国債から消費税に置き換えることに回りました。それまで税負担がなかった分が新たに税負担となり、見返りとなる社会保障支出の増加がない分については、国民にとっては純粋な負担増になります。

本来、増税分が社会保障給付の増大に回るなら、それは国民と国民の間でお金が移転するだけであり、国民全体での負担増にはならないはずです。必要な財政支出の増大に見合うかたちで、例えばドイツのように1％ずつ税率を上げていく方式を、景気が比較的良い時期に採《と》れば、経済の生産性上昇とも平仄《ひょうそく》の合う増税となり、消費税率引上げが経済を落ち込ませる懸念は少ないでしょう。

やはり、国民負担の増大を求めるには、経済状況を見ながら時期を適切に選ぶ配慮とセンスが欠かせません。

その意味で、事業者に色々な負担を課すことになるインボイス導入も、現在のように日本経済がようやく立ち直ろうとしている局面で強行するのは、**せっかく病気から回復しようとしている患者に冷や水を浴びせるようなもの**といえなくもありません。

税率を上げ下げしてきた欧州、機動的に消費税の減税ができるために

この点では、税率が日本よりはるかに高い欧州の付加価値税でも、その時々の経済状況に配慮した弾力的な運営が行われています。

図3（諸外国における付加価値税率の推移の国際比較）をご覧ください。

税率は高齢化の進展で引き上げられていく一方だというイメージの日本の消費税と違って、

税率が時には下がったり、時には上がったりしていることが分かります。

よく知られているのが、ドイツが新型コロナのときに、一時的に税率を増税前の16%へと引き下げていたことです。私も２０２０年の緊急事態宣言のときは、まさに緊急事態だと言うのですから、せっかく設けられた食料品の軽減税率を、８%からゼロ税率にまで引き下げるぐらいのことをやってよかったはずだと思います。

わずか２%しかない差を10%にまで拡大し、食料品には税金がかからない状態にすることは、コロナ禍で所得が減った国民をサポートする大きなメッセージにもなったと思います。デジタル基盤が脆弱な日本であるがゆえに支給に手間取ったコロナ給付金に比べても、即効的で実行コストの低い政策ではなかったでしょうか。

一般に、景気対策として機動的なのは金融政策や財政支出の拡大であり、国会での法律改正が伴う税制は、景気情勢に応じて弾力的に対応する政策手段としてなじまないと言われます。特に日本は、消費税率を５%から８%へと引き上げるのに、政治的に17年もかかった国です。せっかく引き上げた税率を下げると、霞が関や永田町にとっては、またいつ元に戻せるかわからないという感覚になっています。

この際、消費税は税率を簡易に上げ下げできる税制なのだという位置づけの税金に変えてみることも選択肢かもしれません。そのためには、税率が頻繁に変わっても事業者の側で自動的に対応できる計算ソフトを導入しておくなど、税務インフラを民間側で整備しておくことも必要でしょう。その究極が、ブロックチェーンの活用で税額まで自動計算・納入できるデジタル基盤としての「松田プラン」（本書で後述）です。

租税法定主義ですから税率の変更は国会での多数決で政治的に法律で決めなければなりませんが、軽減税率のほうはよりテクニカルな分野だと整理して、政府が景気情勢をみながら機動的に変更し、国会の事後承諾を得れば良いとするのも一法かもしれません。

シンプルさを重視したのが日本の消費税

以上みてきたように、欧州の付加価値税は、食料品は低い税率かゼロ税率とか非課税であるとか、品目ごとに税率がかなり違う、極めて複雑な仕組みになっています。国ごとの差も大きいし、仕入れ時はこうとか、売り上げ時はこう、といった具合に、区分けするのも非常に煩雑な制度です。

複雑極まりない欧州の付加価値税制度のもとでは、税務申告の時の不正確さをなくしたり、不正やごまかしが生じないように、取引において相互にインボイス仕送り状というものを保存し、控除を受ける際とか、申告の際に区分けしやすく税務調査がやりやすいような制度にしたわけです。

図3　諸外国における付加価値税率〔標準課税〕の推移の国際比較

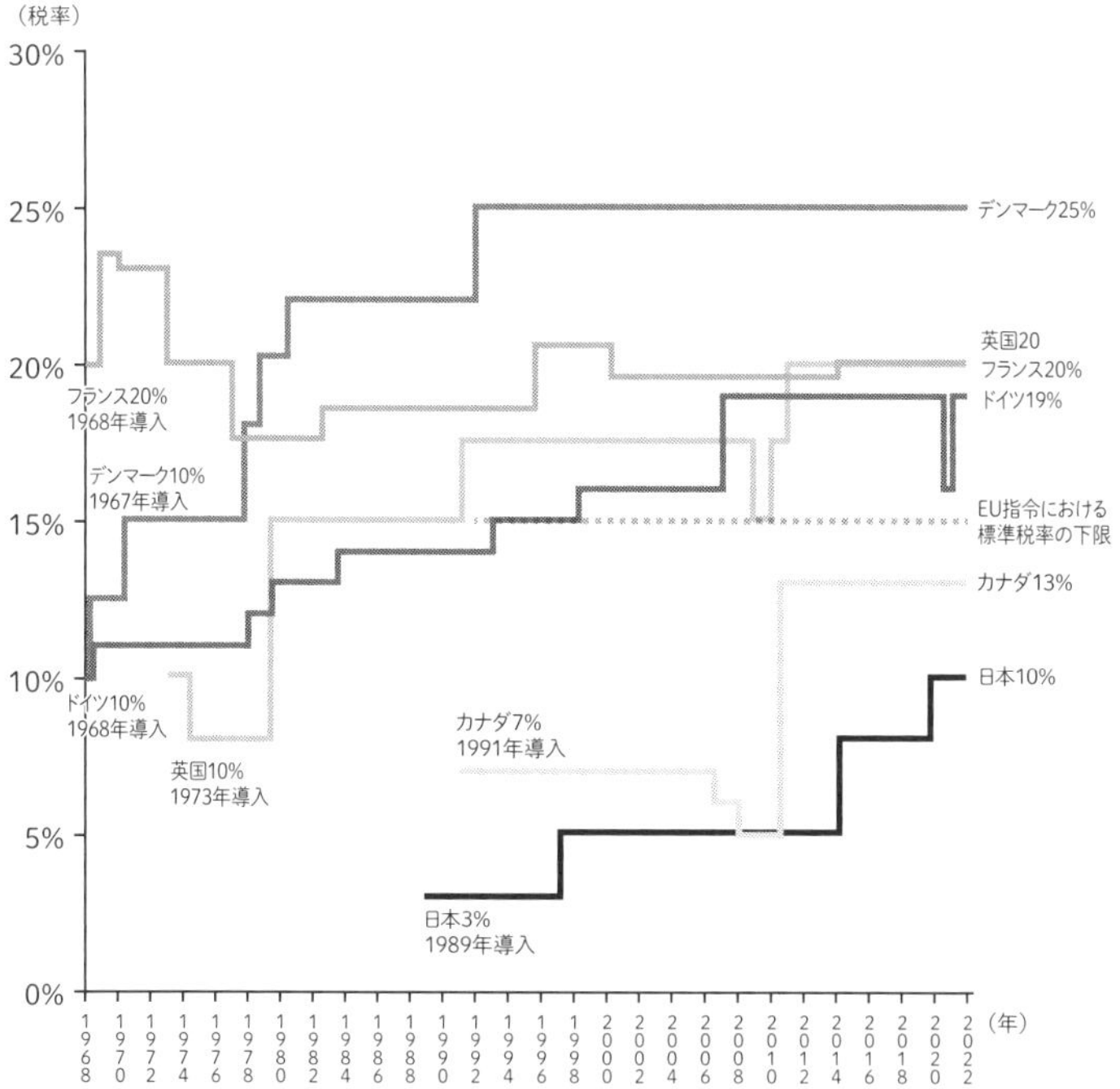

【出典：財務省・2022年1月現在。原図版と詳細は下記QRコードから】

こうした他国の制度を見てきた財務省では、軽減税率が入るのであれば、その際に日本でもインボイスを導入せざるを得なくなるという議論になり、2016年度の税制改正で、軽減税率を導入する方針と併せ、インボイスを導入する方針も決まったわけです。

日本では、これまで消費税に関しては、仕入れ金額を全部合計し、規定の税率を掛けて、売り上げにかかる消費税額から引いていました。これが日本の消費税での「税額控除」なのですが、その差額分を各事業者が納税していたわけです。

差額分を納税するということは、まさに付加価値、すなわち自分のビジネスや事業において「仕入れ額」に上乗せして新たに生み出した「付加価値」の分に税率をかけた金額だけ負担をするということです。これが付加価値税としての意味です。

日本の消費税も、ヨーロッパの付加価値税と建付けとしては同じ構造なわけですが、1989年に税率3%の低い税率で消費税を導入した時に、最初からいきなり複雑な税制にすると現場が混乱する恐れがあるだろうということで、できるだけシンプルで簡単な仕組みが導入されていたわけです。そのシンプルさを代表するものが「帳簿方式」です。

そして、このシンプルさを崩すのがインボイス方式です。以下、2023年10月から日本でも導入されるインボイス方式の仕組みについて説明しておきたいと思います。

これから日本に入る「インボイス方式」とは何なのか

まず、付加価値税（日本では消費税）の基本的な仕組みの一つとなっているのが、税の累積を防ぐために、売り上げにかかる税額から仕入れにかかる税額を控除することです。

そして、この仕組みを担保する方式として、前段階仕入税額控除方式（インボイス方式）と、仕入控除方式（帳簿方式）の二つがあるわけです。

インボイス方式とは、事業者が納付すべき税額を、個々の取引について発行されるインボイス（税額が明記された取引伝票）に基づいて算出する方式です。

課税売り上げにかかる税額から、仕入れの際に受け取るインボイスに記載されている税額の合計額を差し引いた額が、事業者が税務署に納める納付税額になります。

もう一つの仕入控除方式（帳簿方式）は、前述したように、事業者が納付すべき税額を、帳簿に基づいて算出した課税仕入高から仕入れにかかる税額を算出して、これを、課税売上高にかかる税額から差し引いて納付税額とする方式です。

インボイス方式の特徴は、税額の価格転嫁について事業者の間で相互チェックをすることが可能であるため、不正をけん制する効果があることだとされています。また、複数税率に対して実務的に容易に対応できるというメリットも指摘されています。

単一税率の場合、前記の帳簿方式では、売上高の合計に税率をかけた消費税額から、仕入高の合計に税率をかけた消費税額を差し引けば、納税すべき消費税額が算出されますので、税額計算が単純で容易ですが、複数税率の場合、帳簿の中から税率ごとに売上高と仕入高を区分して計算しなければならないことになり、計算が煩雑になってしまいます。

日本の消費税では、その創設時に、消費税率が単一であったことや、取引慣行とか事業者への事務負担に配慮して、帳簿方式が採用されました。帳簿や請求書などを保存すれば、帳簿に基づいて仕入税額控除ができるという方式です。

実は、付加価値税を営んでいるOECD諸国では帳簿方式は日本だけで、他国はすべてインボイス方式です。

インボイス方式のもとで、事業者は新たに何をしなければならなくなるのか

日本でインボイス（日本語では「適格請求書等」と言います）方式が導入されると、仕入税額控除ができるためにはインボイスを保存しなければならなくなります。

その際、売り手となる事業者は、あらかじめインボイスを発行できる事業者（適格請求書発行事業者）として税務署から登録を受けねばならず、買い手となる事業者からの求めに応じてインボイスを発行することになります。

インボイスへの記載事項は、発行する事業者（売り手）の名前、その登録番号、取引の年月日、税率ごとの合計金額、適用税率（10％か8％か）、消費税額などです。

インボイスの交付や保存は義務であり、偽りの交付行為は罰則の対象になります。

このインボイスを発行できる適格請求書発行事業者としての登録は、消費税の課税事業者にだけ認められます。買い手となる事業者が仕入税額控除を行うことができる要件は、売り手から交付されたインボイスを保存することです。

その際の税額の計算については、インボイスからの積み上げで計算する方式と、10％か8％かの税率ごとに取引総額からの割り戻しで計算するかのいずれかの方式となります。

軽減税率制度が開始された2019年10月からインボイス方式が導入される2023年10月までの4年間は、それまでの帳簿方式を維持して、請求書などに軽減税率の対象となる品目である旨を記載し、税率ごとに合計した金額で処理しています。

本書出版時の2023年3月現在はこの4年間の経過期間中ですが、その間は、売り上げや仕入れを税率ごとに区分することが困難な中小の事業者には特例が設けられてきました。これは、売り上げの一定割合を軽減税率の対象品目の売り上げとみなして計算してよい、あるいは、事前に届け出なくても事後的に簡易課税制度を選択してよいというものです。

簡易課税制度とは、売り上げ5000万円以下の事業者については、売り上げから計算された消費税額から、あらかじめ定められた「みなし仕入れ率」をかけた額を仕入れにかかった消費税額として控除してよいという制度です。

こうした帳簿方式のもとで、かつて1997年に消費税率が3％から5％へと引き上げられたときに、それまでの帳簿または請求書のいずれかを保存してよいという制度から、両方を保存しなさいという制度に変更された経緯があります。

これは、帳簿だけの保存だと、納税者自身が記帳する帳簿だけで仕入税額控除ができてしまうので、ごまかしができてしまうからです。その結果、請求書も必ず保存しなければならなくなったので、「日本型インボイス制度」とも呼ばれています。つまり、日本でも本格的なインボイス方式の導入に向けた布石はすでに打たれていたといえます。

帳簿方式では「益税」の問題、インボイスでは取引から排除される問題

ただ、事業者の登録番号や税額は請求書には記載する必要がなかったので、免税事業者からの仕入れに対しても仕入税額控除が可能になっています。それによって発生する「益税」の問題を解決したり、消費税を適正に転嫁させていくためには、やはりインボイス制度を入れなければならないという意見が専門家の間では大勢でした。

また、軽減税率制度のもとでは、売り手は納付税額を少なくするために軽減税率（8％）で

申告し、買い手は税額控除を大きくするために標準税率（10%）で仕入税額控除をしようとする誘因が働くかもしれません。

このため、事業者の間で相互牽制効果を働かせて、正しい税額計算をさせるための仕組みが必要とされたことが、インボイス制度の導入の理由として挙げられています。

ただ、このことが別の弊害を引き起こすことになってしまいます。

インボイス方式のもとでは、インボイスを発行できない免税事業者からの仕入れについては、仕入税額控除を行うことができません。

このため、仕入れ先にインボイスを発行できる課税事業者と、発行できない免税事業者の双方が存在して、同一の商品を同一の価格で販売していても、買い手となる課税事業者は、免税事業者からの仕入れには仕入税額控除を適用できないので、その分、免税事業者からの仕入れは実質的に高くついてしまうことになります。

結果として、買い手である課税事業者としては、免税事業者よりも課税事業者のほうと取引しようとすることになり、免税事業者は、取引段階の中間にいる場合には、取引から排除されてしまう恐れがあります。

前述のように、これまでの帳簿方式のもとでは、こうした問題を踏まえて、免税事業者からの仕入れについても仕入税額控除をすることが認められてきました。しかし、これでは、免税事業者から仕入れた課税事業者は、免税事業者が消費税を納税していないにも関わらず、仕入れにかかる税額を控除できることになってしまいます。

このため、消費者が負担した消費税額分の金額の一部が事業者の手元に残るという「益税」の問題が発生しますし、消費税の価格への転嫁が不透明になってしまいます。

これに対し、インボイス制度のもとでは納税義務を負う課税事業者の間でだけ仕入税額控除が行われます。欧州諸国ではインボイスを発行できない免税業者からの仕入れについては仕入税額控除ができません。日本もそうなります。このため、免税事業者が間に入ることによって発生する「益税」の問題は生じにくくなります。

今後、もし財務省が目論むように消費税率のさらなる引上げが起こると仮定すると、この益税の問題は一層深刻になりますから、インボイスの導入でこの問題を打ち消しておこうということになるわけです。

取引から排除されないための仕組みはあるのか？

こうみてくると、インボイス制度は消費者や社会保障の受益者や財政当局にとってはメリットがあるということになります。消費者や社会保障給付の受益者にとっては、買い物のときに値段の中に含まれていた消費税の負担の一部が納税されて社会保障の給付に回るのではなく、

インボイス制度導入が迫り、悩む人たちの声

Aさん：免税事業者から適格請求書発行事業者へ

「適格」になることによる減収は、一人で営んでいる身にはとても厳しいが、取引先の意向によって契約打ち切りになり、仕事を失うほうが怖い。ニュース等を見ていると、免税事業者淘汰の流れができている気がする。

Bさん：免税事業者継続

これまでどおり免税事業者を継続するつもりだ。取引先から「適格請求書発行事業者になってほしい」とのお願いもあったが、現実に生活に支障がでそうなので難しい。下請法や独禁法で守られているとはいえ、その他の理由を持ち出されて契約打ち切りになる可能性もかなり高いと思う。消費税の申告などの事務負担が大幅に増えるのも厳しいし、とはいえ税理士をつけるお金もない。

Cさん：現状も課税事業の経営者

取引先から業務を受け、免税事業者の個人事業主を多数使っている。簡易課税を適用するしかないかと思っているが、仕入れ税額控除の率が低い。経営上、かなり状況は厳しくなるのではと危惧している。

Dさん：免税事業者で、今後のことは検討中

契約が、次の年度で打ち切られることが怖い。暫定期間としての1年目は契約更新してもらえたとしても、毎年更新時期が近づくごとに失業の恐怖を覚えると思う。どちらの選択肢を取るにしても、不安で不安で仕方ない。

事業者の儲けになっていたということでは大問題。

インボイス制度はこの問題を解消してくれることになります。

他方で、事業者にとっては、ここで課税事業者をA社、免税事業者をBさん（会社あるいは個人事業主）とすると、インボイス制度はA社にもBさんにもデメリットということになりそうです。A社はBさんからの仕入れについて益税を享受できなくなりますし、BさんはA社との取引から排除されてしまう恐れが出てくるからです。

いくらA社にとってデメリットだといっても、益税をなくすこと自体は、国民からの消費税への信頼を確保する上で大事なことだといえるでしょう。問題は、免税事業者のBさんが取引から排除される可能性のほうにあるといえます。

日本では年間売り上げが1000万円以下の零細事業者が免税事業者ですから、インボイス制度はどうしても、こうした零細の弱者いじめのようなことになってしまいます。

例えば、代表的な免税事業者である個人タクシーをBさんとすると、免税事業者のままではインボイスを発給できないので、大手企業A社に属する社員が会社の経理から、「インボイスが発給される法人タクシーに乗れ」と指示されることが起こりそうです。

これはインボイス制度に必ず伴う問題です。では、消費税（付加価値税）の先輩である欧州諸国は、この問題にどう対処してきたのでしょうか。

欧州主要国でも、取引の中間段階にある免税事業者が取引から排除されることが指摘されてきましたが、これぱっかりは、これといった**有効な対策はなかったようです**。

そこで、ほとんどの国では、消費税が非課税となる免税点の水準以下の売上高の事業者であっても、自ら課税事業者となることを選択可能としています（日本もそうなります）。

結果として、欧州では、免税点以下の多くの小規模事業者が免税という特権を放棄して、課税事業者として登録しています。例えば、英国では、2020年度に付加価値税の申告をした事業者のうち、なんと52％は、売上高が付加価値税の免税点以下でした。

ちなみに、この免税点の水準を国際比較してみると、かなり高く設定している国が英国、フランス、日本などであり、比較的低い国がドイツ、デンマーク、カナダなどで、免税点を設けていないスペインのような国もあるなど、まちまちです。

具体的には、日本が「前々課税期間（3年前）の売上高が1000万円以下」に対し、英国は「直近1年間の売上高8万5000ポンド（1309万円）以下または今後1年間の売上高見込額8万3000ポンド（1278万円）以下」、ドイツは「前年の売上高2万2000ユーロ（285万円）以下かつ当年の売上高見込額5万ユーロ（650万円）以下」、フランスは「前年の売上高8万5800ユーロ（1115万円）以下かつ当年の売上高見込額9万4300ユーロ（1226万円）以下」となっています。（為替レートは22年1月時点のもの）。

しかし、インボイスを導入したら取引から排除される可能性があるから、消費税が免税のはずのBさんも課税事業者になるよう仕向けられるというのも、ではそもそも何のために免税制度があるのかということになってしまい、ちょっとおかしな話に聞こえます。

課税事業者になる選択をしても救われることがある

ただ、Bさんが課税事業者になることを選択することに救いがまったくないわけではありません。一般に零細事業者は価格交渉力が弱く、消費税の納税分を価格に転嫁できず、自社の負担として飲み込んでしまうケースが多いのが実態です。

インボイスの交付を通じて、事業者の間で相互けん制作用が働くようになることは前述しました。Bさんは、税額を記載したインボイスを使用すれば、正しい税額の支払いをA社に要求できるようになります。A社とBさんとの価格交渉は、インボイスの記載された消費税額を抜いた金額に基づいてなされることになるでしょう。

Bさんが課税事業者になって消費税の納税義務を負うことになっても、その消費税額がBさんの負担になることを心配する必要はないということになります。

もう一つ、もし、インボイスがなかった時代にA社がBさんと取引していた動機に、他の課税事業者ではなくBさんであればA社が益税を享受できるということがあったとすれば、A社にとってそのメリットがなくなることをBさんは心配するかもしれません。

しかし、インボイス制度のもとでは、Bさんから発給されたインボイスがなければ、A社は税額控除そのものができなくなるのですから、インボイス制度が実施された瞬間に、このメリットそのものが消滅します。だからこそ、A社は税額控除を堂々とできるために、Bさんが課税事業者になってくれた方が取引を続けやすいということになるわけです。

ちなみに、財務省の数字によれば、日本全体でBさんのような免税事業者数は、個人事業者が約407万者（全事業者に占める割合は約78％）、法人が約91万社（同約31％）となっています。（2020年度時点）。特に個人事業者の場合、そのほとんどが免税事業者ですので、インボイス導入のインパクトは大変大きいといえます。

問題は、これだけ多くの免税事業者にとって、課税事業者になることを選択すると、事務負担の問題が新たに生じることです。

インボイス方式には事務負担が大きいという問題

大きいのはむしろ、こちらの問題かもしれません。免税事業者が課税事業者になるために必要な税務署への登録事務から始まって、インボイスの作成や発給、保存管理など、特に零細事業者には負担になりそうです。

この事務負担の問題は、後述するように欧州でも大きな問題になったことがありますが、中小零細事業者を対象とした事務負担軽減措置がとられている海外の事例は見当たらないようです。多くの国でこうした事業者に対してとられている特例措置は、事業者免税点制度や簡易課税制度であり、日本と大きな違いはありません。

そもそも消費税は、納税義務者である事業者自身が税額を計算して納付する申告納税の方式をとっています。その際、事業者が正しい申告納税を行うために必要な、各種の記録や税額計算などでかかる事務負担は、納税協力費用（コンプライアンス・コスト）と呼ばれています。

インボイス方式は帳簿方式に比べて、このコンプライアンス・コストが高くつきます。このことは、日本で長い間、帳簿方式が続けられてきた理由の一つでした。インボイスのコンプライアンス・コストとは、①その発行や保存、②仕入税額控除の計算の2つです。

まず、①のコストですが、Bさんが課税事業者になれば、売り手として取引ごとにインボイスを発行して、その写しを保存することが義務付けられます。

また、返品に伴って対価を返還した際など、インボイスに記載した税額に変更が生じれば、インボイスの再発行が必要になります。結構、ややこしいですね。

買い手である課税事業者のA社の側でも、仕入税額控除をするための要件として受け取ったインボイスを保存することが求められ、その管理や保存に伴うコストが発生します。

A社に対して行われる税務調査では、納税の正しさを判断する最終的な拠りどころとなるのが、取引ごとに保存されたインボイスです。A社が正しい申告納税を行うためには、これを日常的に正しく管理する必要があり、このことがインボイス方式でのコンプライアンス・コストの高さにつながります。特に中小の事業者にとっては、インボイスの適正な管理は大きな負担になると恐れられています。

ただし、現在までの方式でも、請求書などには7年間の保存義務が課されています。

また、Bさんが課税事業者になることでインボイス発行の際に実際に行うことになる作業も、従来の請求書に税額、適用税率（10％か8％か）や登録番号を記載すれば、インボイスとしての要件が満たされます。これを簡単に行えるシステムを導入すれば、さほどの負担にはならないという意見もあります。

事務コストを削減するとインボイスの意味がなくなるという問題も

次に、②の仕入税額控除の計算にかかるコストですが、帳簿方式ですと、帳簿上で計算して消費税額を税率で割り戻す計算が行われています。これに対して、インボイス方式は基本的に、インボイスに記載された税額を積み上げて計算することが建前になっています。

これを、ただ足し上げるだけだから簡単だと言う人もいますが、実務家の間では、煩雑さが増すという見方が大勢です。インボイス方式のもとでも帳簿を整備しなければなりませんから、これは二度手間だという指摘がありますし、海外の事例をみると、特に膨大なインボイスを処理する必要がある事業者の場合、個々のインボイスを確認して、帳簿にその記録を入力し、集計結果と帳簿とを連動させる仕組みを取るところが多いようです。こうなると、結果として、確認や入力の手間が増えることになります。

そこで、日本で23年10月から予定されている方式では、インボイスからの積み上げ計算か、帳簿からの割り戻し計算かのいずれであっても良いことになっています。

これは事業者の事務負担に配慮したものですが、帳簿上で税額計算を行えるなら従来とあまり変わりなく、何のためのインボイス方式なのかということになります。税務署が調査の際に個々のインボイスを積み上げてチェックしないと制度が正しく運用されないということなら、わざわざ面倒な手続きを事業者にやらせる意味があるのかと言われそうです。

結局、インボイス制度は公正に透明に正しく運営しようとすると事業者にコンプライアンス・コストの負担が生じ、かと言って、これに配慮して事務負担を軽減すれば、そもそもインボイス方式を導入する意味が骨抜きになるという性格のものだといえそうです。

ですから、インボイス方式を本当にやるのなら、税額の積み上げ計算をやってもコンプライアンス・コストがあまり増えないような方策を導入しなければ意味がありません。

EUではインボイスのコストが7兆円!?

では、コンプライアンス・コストはどれぐらいかかっているのでしょうか。

かつてEUが2009年に行った調査では、付加価値税だけで834の報告義務があり、EU指令を実行するためのコンプライアンス・コストがEU全体で795億ユーロという推計結果が出たことがあります。為替レートにもよりますが、日本円にして約10兆円！

決して少なくない負担ですが、その中でも、①「税務調査に対応するための十分な帳簿管理」、②「定期的な申告事務」、③「インボイスの発行」の3つで654億ユーロと、コストの82％を占めたとのこと。①と③は、もろにインボイスで生じているコストですが、併せて492億ユーロと、日本円で約7兆円！　その原因は、インボイスに対応する帳簿管理とインボイスの見直しにビジネスが費やしている時間が多いことだとされました。

インボイス方式を採用すると、税務調査の中心は保管管理されているインボイスになりますので、税務調査に対応するするための帳票類の管理の中心もインボイスの管理となります。また、適正なインボイスの保有が前段階税額控除の要件ですので、インボイスのチェックに多くの事務が必要になります。

EUはこの調査に基づき、コンプライアンス・コストが大きくなっていることの解決策として、統一的で使いやすく入手しやすい電子インボイス、電子帳簿管理、電子記帳のルール作りなどを挙げています。また、翌2010年の調査に基づいて、電子インボイスや電子帳簿を使いやすくして、その利用を促進すれば、約184億ユーロ、日本円にして2兆円以上のコスト削減効果が見込まれると指摘しました。

インボイスの電子化が不十分な限り、導入すべきでない

これらの結果を踏まえてEUでは2013年から、電子インボイスを紙ベースのインボイスと同様に取り扱うことや、100ユーロ未満の取引について簡易インボイス（必須の記載事項を減らしたインボイス）の発行を認めるEU指令が施行されました。

日本で導入予定のインボイス制度のもとでも、買い手となる事業者が事前に承諾さえすれば、電磁的記録、つまり電子インボイスの発行が認められています。インボイス導入そのものを意味あるものにするための今後の課題は、電子インボイスや電子帳簿の利用を促進するための実効ある施策をどこまで進められるかということにありそうです。

そのうえで、将来的には、後述する「松田プラン」の実行が待たれます。

松田プランのもとで、事業者がブロックチェーン上で信頼度の高い電子帳簿を用い、売買に使われる政府発行のデジタル円のスマートコントラクトに消費税の自動申告や自動納税を組み

込めば、少なくともデジタル円で取引される分に関しては、インボイスにかかるコンプライアンス・コスト（ムダ）は一挙に削減されることになるでしょう。

理想をいえば、インボイス方式の導入は「松田プラン」の実行と併《あわ》せて行われるべきであり、それまでは導入を見合わせてほしいところです。

インボイスのないこれまでの日本の消費税にはメリットがあった！

ただ、現状では莫大なコストがかかってしまうのがインボイス方式。これをこれまで帳簿方式をとってきた日本の消費税と比較すると、従来の日本のやり方のほうがメリットが高かったことを示す調査があります。

プライスウォーターハウスクーパズが2010年に公表した付加価値税コンプライアンスの企業に対する負担に関するレポートでは、このコストとは、①納税に要する情報の収集（会計データの分析、法律改正に対応する時間）、②帳票類の保管などの準備行為、③申告書の作成、提出、④納税手続きとされています。

これについて、本調査の対象145カ国の付加価値税コンプライアンスに要する時間の平均値は125時間で、法人税に要する時間の74時間をはるかに上回っていました。これに対して、日本の消費税では35時間と推計され、145カ国の平均の3割未満でした。

これまでの日本が、世界的にみて極めて低いコンプライアンス・コストで付加価値税制を営んできた国であることは間違いありません。

ＯＥＣＤのレポートでは、付加価値税制の効率性を測る指標として、「あるべき課税ベース×標準税率」に対する実際の付加価値税収の比率をとり（この値が1であれば効率性が完全だと評価されます）、ＯＥＣＤ加盟国で計算した結果、日本の２００８年の値は０・72となり、加盟32か国の平均値である０・58よりもはるかに高くなったそうです。

当時は軽減税率もなく、比較的低い単一税率で、税収を上げる効率の高い、付加価値税の本来の理想に近い、世界に冠たる制度を日本は運営していたことになります。

この効率を低下させるのは、軽減税率、非課税品目、免税事業者、徴収漏れです。これらが多くなればなるほど、同じ税収を上げるにも、より高い税率が必要になります。

税効率の高かった日本の消費税もややこしくなったのは、その後、軽減税率を入れたからです。これによって、今度はインボイスが必要になり、さらにコンプライアンス・コストが上昇する。これでは税制の大事な原則の一つである「簡素」からどんどん乖離する一方です。

日本ではデメリットがメリットを上回る

実務の現場からみると、付加価値税は、課税の適正性を最終的に判断するには膨大な数の個別のインボイスをひも解くしかない税金です。また、それぞれ異なる取引について税法の適用を判断しなければならない税金でもあるため、普段からきっちりと管理された体制を作っておかないと、後日、何らかの非違を発見して正すことが難しく、その意味で「コンプライアンス・リスク」も高い税金だと言われます。

これらの欠点を考慮すると、日本の帳簿方式は、ある種のおおらかさがあるといえます。規則でガチガチに縛られた社会よりも、融通の利く自由度の高い社会にはそれなりのメリットがあるという見方も成り立ち得ると思います。

インボイス方式を導入するなら、これによって追求される透明性、公正性というメリットと、消費税の管理体制を整備することが特に大きな負担となる中小・零細の課税事業者に将来発生するコンプライアンス事務負担や、企業社会全体で増大することになるコンプライアンス・リスクをよく把握し、十分な比較衡量が必要だったはずです。

そもそも社会保障に税収の全額が回っている日本の消費税の場合、すでにそのこと自体が付加価値税の逆進性を大きく緩和しているわけですから、さらにその上に、10％と8％の差のわずか2％の負担軽減でもたらされる社会的配慮のメリットと、それによってもたらされる中小零細事業者のコスト増大というデメリットとを比較衡量すれば、デメリットの方が大きいのではないかというのが私の意見でした。

インボイスの導入は、その煩雑さのために仕事を辞める人が続出するといった面からも、軽減税率のデメリットを増幅させるものといえます。

軽減税率が19年から導入されてしまっている以上、考えるべきことは、現行の帳簿方式を維持することで、そのデメリットをできるだけ小さく抑えておくことだと思います。

インボイスの導入は、将来、生活必需品との間に大きな税率格差をつけることで社会的配慮のメリットをより大きくできるだけの、欧州並みの高い消費税率となったときか、税務に係るデジタル基盤が整備されて、それこそ松田プランの実行で消費税のコンプライアンス・コストが限りなくゼロに近い状態になったときに考えれば良いことだと思います。

それなのに、日本にもインボイスが導入されることになった経緯

簡単にいえば、軽減税率がなければ、帳簿方式では、(「総売上げ額」－《マイナス》「総仕入れ額」)×「税率」だけで完結します。ですから、税額の計算は極めて簡単なわけですね。

これは法人税の計算方式ともかなり近いと言えます。法人税も、売り上げから仕入れを引いて出た額から固定費を差っ引いた分、これを利益と考えて課税するわけですが、固定費に相当するのは「人件費」「原価償却費」「金融費用＝利払い」の3つです。

この3つの固定費は、法人税を計算する場合には経費として計上できるのですが、消費税の

場合には経費にはならず、付加価値として課税されます。

そのため、「消費税は人件費（賃金）にも課税するわけだから、その分賃金も雇用も減るじゃないか」と、大変評判が悪いわけです。

でも、消費税はこのように法人税に近い形で申告ができることで、中小零細の課税業者にとっては事務負担がとても軽いということで、このスタイルを日本では採ってきました。

2章で後述する「税の論理」の立場から言えば、きっちりと「仕入れがいくら」ということを証拠に残し（インボイスをつけて）、納入先のところが、ここに来るまでの前段階でこれだけ納税されてるということを証明し、それで自分の分を納税する、というのが正しいということになるのですが、日本で最初に消費税を導入した時点では軽減税率も存在しなかったので、とりあえず全体から差っ引いておけば、何ら支障はないだろうと考えたわけです。

しかし、2019年度に消費税率を10％に引き上げると同時に8％の軽減税率を作るとなった際、いよいよインボイスを導入しなければいけないとなったわけですが、消費税率引き上げと同時施行となれば、急に言っても大変だろうということで4年間の猶予期間を設けることになりました。そこで、19年10月の消費税引上げからちょうど4年後となる23年の10月にインボイス制度を導入することになったわけです。

さらなる増税のための地ならしか？

しかしいつも思うことですが、政府は広報が下手なのか、あるいはメディアがきちんと報道しないせいなのか、決まっていた物事が事前に十分に周知されず、実施直前になって大騒ぎが起こるのが常です。

もともと財務省は、そもそも10％の税率に対して軽減税率を作ること自体について消極的だったことを思い出してください。10％程度ならシンプルに、将来もっと税率が上がることになったら、その時に色々な政策的配慮を反映して、食料品はいくらとか、欧州のようにさまざまな品目によって個別に配慮する必要が出てきたタイミングで初めてインボイスをやればいいのではないかという正論が、かつての財務省内にはあった。

私自身も、税率10％ぐらいの時に軽減税率を設定することには反対でしたし、自民党の某派閥の領袖にもそのことを明確に申し上げ、賛同されたことがあります。

そして、今、どうしてもインボイスを導入する必要があるのか？という質問に対しては、「必要はない。少なくとも今ではない」というのが私の答えです。

私たちはこの数年、一部の品目だけが８％の軽減税率となっている制度の中で普通に生活してきました。何かすごく困った事態はありましたか？

今インボイスを施行することで、前述のようにさまざまな弊害が予想される中で、なぜ評判の悪いインボイス導入を財務省が強行しようとしているのかを裏読みすると、「これから15％、20％と消費税率を引き上げていくための準備をしているのではないか？」と勘繰《かんぐ》られても仕方ないかもしれません。その時に混乱しないため、今のうちにインボイスに慣れさせようとしている風にも見えます。

防衛費の増額を、法人税などの増税で賄うなどという今回の唐突なやり方もそうですが、国民が主体的に関与する前に既定の流れを作ってしまって、国民には「もう決まったことだから覚悟しておけ」と言っているようにさえ見えます。

そもそも、増税しようとする政権を認めるかどうかは、すぐれて国民が判断すべき事柄です。**昨年22年の参議院選挙で岸田政権は防衛増税のことをひと言も有権者に伝えていません。**もし、本当にやるなら、それまでの間に国政選挙で国民の信をきちんと問わねばなりません し、それがないままに防衛増税が進められるなら、そのあとに消費税率のさらなる引上げが待っていると考えたほうがよいと思います。

インボイス導入の問題は、日本で「財政民主主義」が十分に機能しているのかどうかという論点を突きつけるものでもあるように思います。

日本経済をずっと下支えしているのは中小企業

日本経済は、中小零細が頑張ることによってずっと持ちこたえてきています。

現状では、大企業ほど、儲けたお金は海外に投資してしまっています。社員の賃金に十分に回してきたのかといえば、大いに疑問があります。国内の設備投資にもあまり積極的ではありませんが、その点、意外と中小企業は設備投資でも頑張っています。

この3年、コロナで特にサービス業、小売店や飲食とか観光といった業界の方たちが、徹底的に痛めつけられてきました。

しかも、「ステイホーム」とか「夜8時以降は営業禁止」のような、感染対策としてはおよそ意味のない、医学的根拠が不十分で非科学的・非合理的な行政からの脅迫によってそれがなされてきました。そのおかげで「もうやっていられない」「これ以上は持ちこたえられない」という状況になり、廃業される方も続出しました。

日本はもともとデフレ体質から脱却できていなかったうえに、コロナ禍というダブルパンチを食らって、誰が考えても大変厳しい経済環境にあります。これからは、コロナ禍に対する特別措置として実施されてきた「ゼロゼロ融資」の返済も本格化するなど、まだ多くの困難が待ち構えている今のタイミングで、インボイス制度の施行で中小零細いじめのようなことを強行するのが妥当なのか。

経済は生き物。政策もタイミング次第で、生殺与奪《せいさつよだつ》の権を握る

防衛増税の議論が唐突に岸田総理から出てきましたが、これも実にタイミングが悪い。

景気は「気のもの」とよく言われますが、経済というのは本当にまさに生き物のようなもので、「元気になろうとする時に、それを支えてあげるタイミングを失うと本当に元気になれなくなる」ものです。

「元気になるポテンシャル」があっても、それをサポートしてあげて、初めて元気になれるというのが今の局面。「咲くべき時」に対して鈍感で、余計な邪魔をしていては、花も咲きません。元気いっぱいの時には多少重いものを持ってもらうとか、そうした負担をさせても大丈夫ですが、病気で弱っている時にそんな無理をさせれば命にかかわります。それは、人だろうが馬だろうが同じことだろうと思います。


経済というのは不思議なもので、何で成長しているかというと「人間の期待」で成長しています。経済は科学の世界と違って人間の心理で動いているもの。将来の展望が明るければ景気は必ず自然によくなります。

一方、絶望している人が多く、将来に対する期待が持てず悲観的になれば、どうしても人はお金を使わなくなる。それがまた悪循環を生んでデフレ経済になっていく。

今の日本はまだこの状態です。いくら物価が上がっているからインフレだといっても、それはエネルギーや食料などの供給面からもたらされたコストプッシュ・インフレであって、経済が元気になったことで物価が上がるインフレとは異質のものです。物価が下がることだけがデフレではありません。だから私は、需要面で経済が元気をなくしている状態を、「デフレ経済」とか「デフレ体質」と表現して、デフレ問題を論じています。

今は、人々を絶望から救ってあげる政策を取らなければ、こうした意味でのデフレを克服できないのに、絶望感をさらに増すかのような政策をやるというのは、経済政策としては失格であるということです。

経営者の人と話していると、よくこんな言い方をされます。

「商売をやっていて、『ここは行けそうだな』と思った時は、お金を借りてでもやりますけど、先がよくなさそうだと思えば、お金を持っていても動かないですよ」

こうした話を聞いて、私がよく思い出すのは、ケインズの話です。

ジョン・メイナード・ケインズ。言わずと知れた20世紀を代表するイギリスの経済学者で、ケインズ経済学の生みの親です。彼のこんな言葉が残されています。

「貨幣に対する異常なる愛着が、経済を不況に陥《おとしい》れる」

これは貨幣に対する無限の愛ともいわれて、どういう意味かというと、将来が不確実であればあるほど人はリスクを取らなくなる、ということです。

お金を使う行為もリスクを取ることです。たとえば、何かほしい商品があって買い物をするとしても、その時にも一定のリスク判断がなされています。

「自分の将来の給料を考えた場合、これを買ってしまったら出費が大きすぎる」とか、「もしかしたらこの先、職を失って貧乏になるかもしれないのに大丈夫か」とか、「同じ値段でもっといい商品があるかもしれない」など、無意識であっても、人それぞれリスク判断をしながら、リスクとベネフィットとのバランスを考えつつ買い物をしているわけです。

これが、将来の展望が不確実になればなるほど、リスク側の比重がバランス的に高くなり、消費を控えるようになります。企業の設備投資でも同じですね。

企業活動も当然ながらリスクとリターンの予測とのバランスを見ながらやっているわけですから、リターンへの期待がしぼんでしまえば設備投資をしなくなります。

そうなると誰もがお金を使わなくなる。愛しいお金を失いたくないものだから、必死でしがみつく。その結果、さらにお金は使われなくなる。

これが不景気の原因なのだ、とケインズは言ったわけです。

まさに今、日本で起こっているデフレの正体です。

特に現在の日本経済は、賃上げによってインフレ率が2%で安定的に推移することをめざすことでデフレ経済から脱却できるかどうかの瀬戸際の局面です。そのためには、賃金上昇が生産性の上昇に伴って持続するようにならねばなりませんが、そのうえで欠かせないのが、需要が継続的に拡大していく経済に向けて、国民の将来展望が形成されること。

だからこそ、現状から転換するためには、とにかく将来の不確実性を軽減して明るい未来を具体的に示していくことが経済政策の根本になければなりません。そして、それこそが政治の最大の仕事だと思います。

個人事業主や零細企業の意欲を削《そ》ぐ、「利益圧迫」「事務負担増」の愚

インボイス導入で特に困惑してしまうのが、フリーターの方などを含めた個人事業主ではないかと思います。小さな町の駄菓子屋さんにもインボイスをきっちり発行させることが正義なのかと思う方も多いでしょう。

ボランティアの延長のような意識で、町の中で子ども食堂をやってみようかと思った人がいるとします。もちろん大きな儲けになるはずもなく、子どもたちのために善意で何かしてあげ

たいと、片手間に始めてみようかと考えていた人にまで「それは事業なのだから課税業者になって、納税義務とインボイスの発行義務を負うべきだ」と追い詰めていくと、それだけでも大変な事務負担増なわけで、ちょっとやってみようかと前向きに考えていた人の気持ちを萎《な》えさせてしまうことになるのではないかということが心配です。

ですから、最初は免税点以下の非課税事業者としてともかく事業を始めてもらい、その中できちんと利益を継続的に出し続けて事業が成長してきた次の段階で、「今度は課税業者になってくださいね」というのが、本来のあり方でしょう。

ただ、課税事業者になると事務負担が増えるだけでなく、実際問題として、消費税分を新たに価格に上乗せしても受け容れてもらえるのかという心配が新たに生じます。消費者に対しても取引先に対しても立場が決して強くない零細事業者にとっては、結局、今までの売上額の中から消費税を納税することになってしまい、所得減になってしまう。

税の論理から言えば、「売り上げに必ず転嫁するので事業者の負担にはならないはずだ。最終的に消費者が負担するからこそ消費税なんだ」ということになるわけですが、特にデフレ体質の経済のもとでは、実際には値段を上げたら売れなくなるので、事業者のほうで飲み込んでしまうことになります。

全てとは言いませんが、消費者に一部は負担してもらう形が取れても、一部は事業者本人が負担せざるを得ず、利益を減らしながら涙を呑むという事例が多いのが実態です。

仮に消費税額を価格に転嫁できたとしても、事務負担にかかるコンプライアンス・コストのほうは販売価格に転嫁できません。例えば、インボイスに対応するために人件費が増えた場合、人件費は固定費ですから、法人税のように経費として差っ引くことはできず、そのまま消費税の課税対象になるだけです。

私の財務省の先輩で中央大学大学院特任教授の森信《もりのぶ》茂樹《しげき》氏は税の専門家の立場から、「インボイスが納税の手間を簡単にしてくれる。売上、仕入に係るインボイスを保存しておいて、納税時にそれを足し上げて計算すれば、容易に納税額が計算できる。インボイスは事務コストがかかると敬遠されがちだが、コストがかかるのは軽減税率であり、インボイスはそのコストを軽減させ、転嫁を容易にする役割を持つのである」としています。

しかし、ＥＵの調査でもインボイスのコンプライアンス・コストが膨大だったことは前述の通りですし、日本では帳簿方式に近い方法を選択可能としたように、実際にはインボイスによる積み上げ方式が事務負担を軽減するとはいえなさそうです。

ただ、森信氏が言うように、コストがかかるのは軽減税率のほうだというのは当たっているでしょう。帳簿方式のもとでも、そもそも品目によって税率が異なること自体が事務負担を増大させています。公明党が、食料品の消費税負担を軽減させることで弱者への配慮を示す政治

的な思惑で軽減税率を入れさせたことが、実は、事業者の側での弱者いじめにつながっている
ことには留意が必要だと思います。

価格決定権を持つことは、経営者の腕の見せどころだが……。

一方、これは経営全般について言えることですが、商品の価格決定というのは事業者にとって最高の経営判断です。自分の扱う商品価格をどう決定するかにこそ、事業者としての醍醐味があると考える経営者もいます。

世界で最初にハイブリッド・カーを量産したトヨタ自動車の価格設定なども、その一例だったと言えるかもしれません。プリウスの最初のモデルを発売した際の販売価格は、とうてい利益を生み出せるような設定ではありませんでした。莫大な開発コストを回収するには、もっと遥かに高額な価格設定をしなくてはいけないはずでした。でも、トヨタの経営陣はハイブリッド車の市場を創造するために、あえて最初は利益度外視で安い販売価格を設定したわけです。

そしてハイブリッド車のマーケットを世界で最初に生み出し、リードしました。

一般に市場で需要《ディマンド》が旺盛な時は、価格を高く設定できますし、高い価格でもどんどん売れる。こういう時は消費税も全額転嫁できます。

ところが、デフレ経済の時はこの逆で、利益を吐き出す形で価格を低く維持せざるを得なく

なります。コスト高の分を価格転嫁していると売れなくなります。苦しいけれど自分で飲み込まないと売れないという状況になるわけで、その時その時の経営判断で、いろんな価格戦略が生まれるわけです。

たとえば原油価格の上昇で燃料代が上がったとか、仕入れの材料費が上がるなど、それぞれの状況下でいかなる判断をし、どこまで価格に転嫁して、あるいは自分たちで飲み込むかというあたりは、まさにその事業者の経営判断、腕の見せどころでもあります。

欧州でビジネスをしている人たちの場合、「付加価値税もコストの一つ」だと割り切る傾向が強いようです。だから、経営努力でコスト高の分を飲み込める範囲であれば飲み込んで時を待つし、販売価格に転嫁できると見たら、臨機応変に転嫁していく。

日本の場合、消費税率が引き上げられると、多くの事業者がその日に値札を変えて価格に一斉に転嫁する傾向が強いですが、それは消費者にも「この日から増税だ」ということで駆け込み消費を生んだり、「今日から増税だ」といって消費が一斉に手控えられて、その後も需要がなかなか回復しないといった弊害を経済にもたらしています。

まさに日本は社会主義的なのですが、資本主義、自由主義経済の本来のあり方からすれば、価格の付け方はそれぞれ事業経営する人の裁量や、経営体力によって、価格転嫁の度合いも転嫁の時期もまちまちであるべきであって、十把一絡《じっぱひとから》げに語れないはずです。

安全策を取るタイプの人もいれば、チキンレースのようにライバルとぎりぎりまで我慢比べで張り合って市場でトップを奪おうというタイプの人もいるでしょう。

とはいえ、問題は中小零細企業や個人事業主のように、こうした裁量を働かせられるだけの力がない、そうした立場にない方々です。景気が良くないときに十分な価格転嫁ができず、そのうえ、さらに事務負担増ものしかかるわけです。

インボイス導入で本当に価格転嫁をしやすくなるのか

ただ、この価格転嫁の問題について、帳簿方式のほうが中小零細企業にとって厳しいことになるとしてインボイス方式を正当化する議論が「税の論理」の側から提起されています。

前述の森信茂樹氏は、帳簿方式のもとでは売り上げから仕入れを引いた差額、つまり「粗利」に税率を乗じた額が消費税の納付税額になるため、「事業者から見れば、『粗利に課税される直接税』という認識になりがちで、『消費税分は値引いてくれ』といいやすくなる」としています。

そして、「インボイスが導入されると、『消費税分』が明記されることにより、消費税分は価格とは別途請求されるという認識になると考えられるので、それにより転嫁が容易となり、最終消費者に負担を求める『間接税』になるのである」としています。

確かに、インボイス方式のもとでは、消費税額は流通の各段階の事業者の間で明確に確定していますので、価格交渉は消費税抜きの価格でなされることになりますから、転嫁それ自体はやりやすくなるでしょう。

しかし、景気が悪くて消費税額を価格に上乗せすることがA社の売り上げ確保のうえで困難と判断されるような業況が苦しい状態では、この税抜き価格の世界で下請けに対する値引き圧力が働くでしょう。結果として、Bさんは課税事業者になったところで、自らの利益を税額分削ってA社への納入価格を引き下げることを強いられ、インボイス方式で価格転嫁が容易になるというメリットを実質的に享受できないことになると思います。

つまり、「税の論理」ではインボイス方式によって税収が確保できることになっても、デフレ経済のもとではその分、「経済の論理」が犠牲になることになりかねません。

日本経済が長期停滞期からなんとか抜け出さなければと苦しんでいるこのタイミングでのインボイス導入は、やはり弱者切り捨てになりかねないと思います。

「いつやるか？　今じゃないでしょ！」これが、私の答えです。

2章

今、「税の論理」では日本を救えない！

「経済の論理」を優先させるのは政治の役割

「税の論理」の第1原則は公平性の確保

私は大蔵省出身で、税務署長の経験も国税局でマルサをした経験もあります。

1989年の竹下登《たけしたのぼる》政権時に初めて消費税が導入される時期には大蔵本省で広報をやっていて、テレビや雑誌などのメディアを通じて消費税のPRをしておりました。

当時は折しも「リクルート事件」が発生し、消費税施行開始後に竹下内閣は退陣に追い込まれます。その年の参議院選挙ではマドンナ旋風が吹き荒れて自民党は大敗、「消費税廃止」を訴えていた社会党が参議院で改選分では第一党になったというような時代でした。

あの時の選挙戦で、日本社会党を率いていた土井たか子さんが、ただ「ダメなものはダメ——」と叫んでいたことは今も忘れません。

あれは、日本の民主主義にとっては極めてよくないことだったと思います。土井さんは、国民に「思考停止」を求めたわけです。

「消費税のどこがなぜダメなのか。その代わりにどうしたらいいのか」を国民に問いかけ、考えていただくことが主権在民の民主政治のはずです。与野党の説明を聴いて、いずれが正しいかを判断して選択するのは国民なのですから。

増税など、誰もがイヤに決まっています。あのときの税制改革は、所得税と法人税の減税額が消費税の導入などの増税額を2・6兆円も上回るという、史上まれなる大減税だったことすら、多くの国民は知りませんでした。消費税が導入されて定着してきたら、特に事業者の方などからは、「確かに、公平に課税できていない所得税や法人税が重いのは問題だし、今になってみると消費税は公平でいい税制だ」という声が、かなり聞こえてきました。

すでに1章で述べたとおり、消費税には逆進性の問題があります。

所得税のように、より所得の多い人には高い税率で課税することで、お金をより多く稼いでいる人にはより重い程度で税負担を求めることができる直接税は、一見、所得に関係なく同じ税率で課税される間接税よりも公平に見えるかもしれません。

こうして直接税が実現できる公平を「垂直的公平」と言って、同じ金額の所得や消費額には同じ金額の税負担を課す「水平的公平」とは区別されます。垂直的公平のほうが、お金持ちからそうでない人々に対して所得を分配できる効果は大きいといえます。

日本では戦後長らく、こうした所得税や法人税などの直接税が中心の税制が営まれ、消費税を導入する前は、物品税や酒税やたばこ税などの間接税は脇役でした。

ただ、理念的には公平という観点から優れているように見える直接税には、現実の課税の現場では色々と欠点もありました。それは、所得を税務署に申告して初めて課税がなされるとい

う日本の申告納税制度のもとでは、個人であれ法人であれ、税務署にバレなければいいという
ことで所得を隠してしまう場合がとても多いということです。
そこで、税務署など国税当局は、申告された所得額が正しいのかを調べる税務調査を個人や法人に対して行って「適正公平な課税」を実現することが任務になっています。

日本の申告納税制度は納税者の善意に期待している制度

私は20代の最後の年に淡路島《あわじしま》を管轄する洲本《すもと》税務署長に着任しました。当時、淡路島は現在のような3市ではなく1市10町で、それぞれに、例えば商工会や農協、漁協といった業界団体がありました。かつての大蔵省キャリア官僚の若手税務署長は「接待漬けのバカ殿研修」などと揶揄《やゆ》されたもので、のちに、マスコミからの批判に弱い財務省がこの制度を廃止してしまったのは、大変もったいないことでした。実際にはそんな優雅なものではなく、若いからこその人生修養の場でもありました。

もちろん、署内では自分の父親ぐらいの年齢の人も部下として率《ひき》いなければなりませんし、地域社会で会合などがあると、市長、警察署長、商工会議所会頭と並んで税務署長は常に上座で、一種の帝王学を学ぶ場でもあったのですが、夜の予定は、今ではすっかりご法度である納税協力団体の事業者の方々との宴会で埋まったものです。

そんな場では、たとえば管内某町の漁協との宴会で大勢の漁業関係者と酒を酌《く》み交《か》わし、ともに演歌を歌うのは自分の父親よりもずっと年配の漁協のボス。そのボスから最後に、「おーい、みんな、今度の署長さんは若いけれどなかなか見どころがある、ちゃんと申告するんだぞ」の一言をもらうのが仕事でした。

つまり、事業者に申告してもらわないと税務行政は回りません。相手がどんなに海千山千であっても、いかに正しく申告してもらうか、そのためには、将来を期待されている若手キャリアならではの人間力が問われたものです。

日本は納税者の善意に期待して税務行政が組み立てられているので、きちんと納税をしていただく環境をつくることが税務行政の最大の仕事でした。そのためにナマの人間同士の接触を通じて、役所も別に悪い人たちではない、まぁ税金はきついけど、協力してやらないとな、という気持ちにさせるのが酒食の場であって、決して遊んでいたわけではありません。

それがかつての日本型の行政であり、現在のように官民は距離を置いて、何事も規律、規律……では、徴税の現場もギスギスした世の中になってしまっているのではないでしょうか。

日本では脱税の挙証《きょしょう》責任が国にある

しかし納税者の中には、脱税をしたり、税務知識が不十分なために、故意ではないにせよ適正に申告されていない場合もあります。だから、日頃から税務署は個人や法人などに対して税務調査を行っているわけですが、仮装隠蔽工作などによって意図的に所得を隠している悪質な脱税となると犯罪です。国税当局も厳しく摘発しなければ、真面目な納税者の方々が馬鹿を見る世の中になってしまいます。

その中で最も厳しいのが、国税局が裁判所から令状を取って行う強制調査である査察《ささつ》（マルサ）です。国税局が証拠を押収して分析し、脱税の容疑が十分に固まれば検察庁に告発し、起訴されれば裁判になり、結果として執行猶予のつかない有罪判決となれば、脱税者は刑務所行きとなります。きちんと申告しないとこうなりますよということを世の中に示して納税道義を高揚する「一罰百戒」が、こうした査察の大きな目的となっています。

ただ、納税者の善意を前提とする日本での脱税の摘発は、そう容易なことではありません。この点、米国は日本よりもっと厳しい摘発のスタイルをとっています。

米国の連邦政府には内国歳入庁（ＩＲＳ）というものがありますが、たとえばですが、脱税に関してその内国歳入庁当局が「お前、脱税しただろう」と言うと、本人がきちんと「その指摘は間違っている」と証拠を挙げて反論できない限り、当局の言うとおりに課税されてしまいます。つまり、米国では、挙証責任《きょしょうせきにん》（証拠をそろえて、正しい納税額はこうだという証明をする責任）は納税者側にあるとされているそうです。

ところが日本の場合は逆で、「脱税してるだろう」と国税当局が指摘した場合、その挙証責任は国側にあります。実際に脱税している証拠を示す責任は、国側にある。実は、そのことの証明は、特に悪質な脱税の場合、そう容易なことではありません。

だから、意外と日本の国税当局の権限というのは弱いものなのです。

「マルサの女」は完全実話だった——私が査察部長だったときのお話

伊丹十三《いたみじゅうぞう》監督、宮本信子《みやもとのぶこ》主演の「マルサの女」という映画を覚えておいででしょうか。

若手税務署長のときは「太陽」となって納税者をその気にさせていた私も、その後大蔵本省に戻ってから7年後には、今度は「北風」となって納税者に厳しく当たる国税局査察部長として税務の現場に戻りました。マルサによる脱税の摘発は、裁判で公判を維持できるだけの証拠を揃えねばならない大変な仕事です。

私が査察部長時代に「マルサ」をやった体験についてお話ししましょう。

前述のように、日本の場合、脱税に関する挙証責任は国税の側にありますから、検察庁に告発するまでに完璧に証拠を揃えねばなりません。内偵を何カ月も、時には何年もかけて行うわけですが、その間、間違っても相手に気づかれないように動かなくてはいけないわけです。

内偵調査で確信をつかめたら、脱税容疑者や関係先に一斉にガサ入れして、脱税の証拠を固めるのですが、それまでに容疑者側に気付かれると証拠隠滅をされてしまいます。また、マルサの「お客さん」は巨額の脱税者として所得隠しの手も込んでいますから、強制権限を使ってガサ入れしても、現場で簡単に証拠を押さえられないことも多々あります。

映画の「マルサの女」は、たしかに映画なのでかっこいいところを見せているわけですが、実は、あれはほぼ完全に実話です。「マルサの女」のほうは東京国税局の査察部次長さんが、「マルサの女2」のほうは大阪国税局の査察部次長さんが、実際にあった査察事件を再現して、時には一緒にホテルに缶詰めになりながら、伊丹十三監督にアドバイスをして作られたものだと聞いています。

私が大阪国税局の査察部長をした二年間、当時話題の住専事案や政治案件など、新聞では連日のように全国版で報道された大型案件を次々と手がけることになったのですが、このポストは、当時、大蔵省のキャリア組がその職に就《つ》くことになっており、ある先輩がこんなことを言っていたものです。


男にとって生き甲斐を感じる仕事は3つある。

1つはプロ野球の監督、もう1つはオーケストラの指揮者。

そして最後の1つは査察部長だ。

大型脱税者の乗る高級外車に国税局の車は追いつけない件

私の場合、マルサの男やマルサの女といった部下は、300人くらいいました。うち4割ぐらいが人知れず内偵調査をする部員なのですが、その中には、容疑者をずっと追いかけ、何カ月も尾行したり自宅やオフィスや愛人宅を張っていたりする職員たちもいます。

内偵で必要とあれば、部員がソープランドなどに行く場合もあります。客として実際に入浴し、タオルの数と実際の申告との差など、脱税の端緒をつかんだりします。たしか入浴料くらいまでは捜査費から出していると聞きましたが、そのあとのことは知りません。

内偵は相手に絶対にバレてはいけません。時々バレそうになって大変な時もあります。

尾行している向こうの容疑者は大型脱税をしている人ですから、すごい高級外車に乗って、高速道をサーッと走っていくのですが、こちらの国税局の車ではまるで追いつかなかったり……。

容疑者の自宅周辺で張り込みをしていたら、不審者だと通報をされて警察にしょっぴかれた部員もいたようです。その人が音信不通になってしまい、ずっと何日も職場に帰って来ないので、心配して警察に問い合わせたところ、留置所に入れられていたなどということもあったそうです。

その部員は「絶対に内偵中だということを明かしてはいけない」という使命感があるので、一切自分の身分を明かさなかったとか……。

そんな苦労をしながら、こうすれば脱税の証拠は集められるというところまで行くと、「立件会議」が開かれ、査察部の幹部や全部門の統括官たちを前に、査察部長が「やろう」という決断を下すと、次はガサ入れ、つまり着手に向けた準備に入ります。

本人の自宅、オフィス、愛人宅、関係先の各所に査察部挙げての全部門の部員を配置し、着手の日には、私も部長室に陣取って、決めておいた朝の時間になったら「行け」、そしてついに「着手」となります。その瞬間、200人ぐらいの部員たちが一斉に各地でどーっと踏み込むわけですね。着手後は、部長室にいろいろな報告が順次上がってきます。

本人の自宅で査察官が問い詰めていると、相手が庭のほうに目をちらちらと向けている。「あそこだ!」……そして庭の一角に隠してあった金庫を査察官たちが発見する。こんな映画のシーンは、実際に現場でいつもあることです。金庫やお金などだけではありません。「証拠になるブツが出てきました」とか、時には愛人と同衾している時の写真を撮るような変わった趣味の人もいて、「その写真を押さえました」とか……なぜそんな写真まで押さえるのかと聞くと、特殊関係人であることを裁判で立証するための証拠になるから……。

他にも、たとえば容疑者の奥さんの寝室とかにも入っていくわけですが、お金持ちの奥さんのなかには、どうしても他人に見られたくないものを持っている人などもいて、「これ、バレたら困るんじゃないですか？」などと言うと、本当のことを白状し始めたりとか。

それはそれは、さまざまな人間模様、色々な物語があるわけです。

警察、検察よりマルサのほうが怖いと言われる理由

「世間には3つ怖いものがある。警察、検察、国税査察だ」という言い方があります。

このうち、警察と検察には逮捕権があります。まずは逮捕してしまい、それで白状しろというやり方ができるのですが、査察部には逮捕権がありません。つまり司法当局そのものではなくて、あくまで行政機関が準司法的な仕事をしているということです。

逮捕権がない制約のもとで証拠は確実に押さえねばならないだけに、逆にやり方が徹底的にきつくなる面があります。令状を示しさえすれば、証拠になり得るものは、自宅であろうがオフィスや別宅、愛人宅、関係先であろうが、根こそぎ持って行ってしまいます。

だからマルサが1番怖いと言われることもあります。

逮捕権はないけれど、法律的に破壊が許されています。玄関に入ろうとして開けてもらえない場合にはカギを壊すとか、チェーンを掛けられたらそのチェーンを切ってしまう、金庫を押収するために周囲の壁を壊す、映画でも描かれていたそんな行為が認められています。

もちろん、いざ着手しておいて万が一にも証拠を固めきれずに流れてしまったりすると、国税に対する信頼が失われる危険もあるので、「行けるのか行けないのか」を査察部長として判断する段階が、一番重要で難しいと言えるかもしれません。

時おり大掛かりな査察に関して報道される場合がありますが、前述のように国税が期待しているのは「一罰百戒」の効果です。

「あー、脱税で捕まると、えらいことになるな」ということを世に知らしめて、脱税行為を未然に防ぐ。そして、みんながきちんと申告するようになることを期待しています。

申告納税制度のもとでは納税者が正しく申告しない限り、完全には把握しきれないわけで、そんな中、誰に対しても恐れずに公平に課税するのだという国税の姿勢や決意を知ってもらいたいというアピールでもあります。

よく「マルサが入った会社は成長する」と言われます。裁判での脱税の立証は容易ではなく、会社の全体像を示して、その中で脱税の部分を明確にするという証拠化の手法でないと公判がもちません。マルサのお客さん（ガサ入れの対象）の場合、儲かってはいるけれど経理はガタガタというのが通例で、査察部の職員が本来のあるべき姿を組み立てる中で、これはこうだろ、あれはこうだろとやっているうちに、経理が立て直されることになります。

査察部側としては大変な業務量で容疑会社にサービスをしていることになりますが、しっかりした経理とニコニコ納税こそが会社の発展の基礎。これは本当のことです。

職員が不足するなか、税負担の公平性をいかに担保するか

税の世界で昔からよく言われるのは、個人事業者の場合、税務署が調査に来るのは100年に1回、法人でも50年に1回ということです。

ということは、平均してみれば個人は所得を100年間隠せるし、法人でも50年間は隠せる、ということになります。

昔から日本では「クロヨン」とか「トーゴーサン」と言われていて、会社員の所得は源泉徴収で全部ガラス張り、完全に把握されて課税されるのに対して、事業者の場合は、会社員が10だとしたら5ぐらい、そして農業従事者は3などと言われ、不公平だと指摘されてきました。

これを直接税だけで完全に正そうとすれば、税務署の職員が今の何倍いても足りないことになります。全部の納税者に対して実際に税務調査ができる率（実調率）は法人で2％、個人で1％だと言われてきました。

一方、消費税の場合は、どんなお金持ちであろうと商品を買った時には必ず負担しますので、所得税とか法人税では取れなかった部分があっても、消費の段階で必ず課税できるという

意味で、実は勤労者にとっては公平な税制だと言うことができます。

また、今回のインボイスもそうですが、消費税導入の際も最初は事務負担が増えるということで、事業者からは大反対がありました。それで、導入期には簡易納税制度や免税制度を入れ、日本の場合は中小零細企業の事務負担増に配慮して、インボイス方式ではなく帳簿方式を採るなどしたわけですが、それが不公平を生んでいるという批判はあります。

しかし、その不公平よりももっと大きいのが、直接税の世界で、課税ベースとなる所得の捕捉が不十分であることがもたらしている不公平だといえます。

直接税は所得税であれ法人税であれ、大金持ちや力の強い企業であるほど、節税対策にさまざまな知恵を働かせることができるものです。所得の大きさに比べて、制度が本来意図しているだけの「公平」が本当に実現されているのか疑わしい面がないわけではありません。

最初は3％と、「小さく産んで大きく育てよう」との発想で消費税の導入は始まったわけですが、結果として見ると、税務署の職員を大幅に増やすことなく、全体としてみれば、より公平に課税ができるようになったという評価になっています。

もちろん、消費税にも脱税はあります。そもそも消費税は、販売価格に転嫁して消費者に負担してもらっている税金ですから、事業者が消費者に代わって納税すべきもの。

これはいわば、消費者から一時的に預かった預り金であって、この部分を自社の利益計算に組み込むことはご法度です。これを納税しなければ、預り金を消費者から騙し取ったことになり、これこそ税金泥棒。ある意味、自分の努力で得た所得を隠すよりも、こちらは人のお金ですから、より悪質な面があります。

私が査察部長だった95～97年は消費税施行後、そろそろ税制として定着してきた時期ということもあって、ほぼ全国初の大型消費税事案を摘発したことがありますが、消費税の場合、税額控除など事業者間でやり取りが行われますし、売り上げ金額が確定すれば消費税額は自動的に決まりますので、直接税よりも大型の脱税はしにくい税金だと思います。

直接税と比較した消費税の公平性の意味は、前述のように、垂直的公平や水平的公平とか、逆進性の問題を解消する社会保障支出のことなど、税の性格の面から論じましたが、ここでは私の税務行政での体験記を交えながら、現実の税の執行面から述べてみました。

いずれにしても、税金は私たちの社会を支え合う会費のようなものだと言われます。ならば、人々が薄く広く会費を負担するのが望ましいはず。あまり税率が高くなってはいけませんが、誰もが消費のときに負担する消費税があって、例外なく負担するという意味での公平さをそれで実現し、他方でお金を儲けた会社や個人にはそれに応じた重さで課税する直接税があるというのが、バランスのとれた公平さであると言うこともできるでしょう。

どんな税にもメリットとデメリットがあります。ですから、それらをうまく組み合わせて、全体としてできるだけ多くのメリットを個々の税から引き出し、デメリットを小さくする工夫こそが求められているということも、「税の論理」です。

日本で起こっている直接税の論理と間接税の論理の逆転現象

ここまで、直接税と間接税である消費税とを比較してきましたが、ここで公平という観点を離れて、間接税のメリットについてもう一つ、触れておきたいことがあります。

もうすでにお分かりのことと思いますが、直接税というのは、納税義務者と税負担をする人が一致している税金であるのに対し、消費税についてみてきたように、間接税は納税義務者と実際の税負担者が異なる税金です。

間接税には消費税以外にさまざまな種類がありますが、分かりやすいのは酒税とかタバコ税でしょう。いずれもお酒やたばこにかかっている間接税で、消費税と合せると、例えばビールの場合は小売価格の半分近くが、たばこですと6割以上が税金です。

消費税率に比べると消費者がずいぶんと重い税負担をしていることになりますが、たとえばビールを飲む方がビールを飲んでいる瞬間に、「あー、自分は今、税負担してるんだ」と思うことはほとんどないはずです。たとえそれが税金の塊であっても、「うまい！」と思って消費を楽しみながら、いつの間にか税負担をしているわけです。

これが間接税の特徴ですので、大きな財源を必要とする時には国民の反感を招かないよう、負担感の少ない間接税で増税が行われる場合が多くなっています。岸田政権が決めた防衛増税の中にも、たばこ税の増税が含まれています。もっとも、たばこの場合はこれまでの相次ぐ増税で値段がかなり上がり、すでに愛煙家の負担感も相当大きくなってはいますが……。

実は日本の場合、直接税と間接税の性格の間に「直間逆転の法則」のようなことが起きています。つまり、国民の多くが直接税のことを間接税のように、間接税のことを直接税のように感じているという現象です。

世界中を見回しても、源泉徴収《げんせんちょうしゅう》がこれほど普及している国はなかなかないでしょう。米国では誰でも確定申告をしなければなりません。これに対して日本では、会社員で税務署に確定申告をしたことがある人はどのくらいいるでしょうか？

一定以上の高額所得者や、家、マンションなど不動産を買ったばかりの人などは別ですが、3月に確定申告でバタバタするサラリーマンはほとんどいないと思います。誰もが給与について所得税を負担していますが、納税に関しては、年末調整を含めてみんな会社の経理部がやってくれているからです。年末調整という制度も日本だけのものだそうです。

自分で申告したことがないので、実際自分がいくら税金を負担しているか、所得税は今年いくら払ったのかなどを言える人はほとんどいないのではないでしょうか。直接税なのに、負担者と納税者が別という、まさに間接税のような税金になっています。

本来、前述した間接税と違って、負担感や痛税感（税負担に伴う痛み）があるのが直接税の特徴なのですが、会社にお勤めの方はほとんど、所得税についてそれがない。当然、税率の変化とか税負担の増減などについても鈍感なままでいられることになります。

それに対して、消費税に対してはとても敏感です。買い物のとき、店頭のレジでチーンとやった時にレシートに「うち消費税はいくら」と出てくるので、「あー、今消費税をいくら払ったんだな」という意識を強く持ちます。消費税のほうが痛税感の大きな税金となっています。日本では、直接税と間接税の感じ方が、どうやら逆なのです。

「社会保険料負担増」という〝ステルス増税〟に多くの国民は気づいていない

これも会社が納付してくれるのでサラリーマンには別の意味で「痛税感」が薄いのが、いつの間にか負担がどんどん増えている社会保険料です。これを納付している会社の側では、企業経営者の方々から「社会保険料負担が大変だ。とんでもない金額を支払っている」との嘆きの声が聞こえてきます。

年金保険料、健康保険料などといった社会保険料は、社員本人が半額、そして会社が残りの半額を補助する仕組みになっていて、国が社会保険料率を上げれば、両者とも負担増になるわけです。ですから、社会保険料の額が増えると企業の経営が圧迫されて、会社としては従業員の給与を上げにくくなり、人件費を増やさないために雇用を減らすことになるかもしれません。もちろん、本人の給料から天引きされる分も増えますから、社員の可処分所得も減ります。景気にとって良いわけがありません。

この社会保険料の増額というのは、まさに、目に見えない〝ステルス増税〟のようなものです。国民にとってはいつの間にか負担増になっている。税金と違って国会の議決の必要がなく、政府が政令で社会保険料率の引上げを決められますが、国民負担増である点では増税と変わりません。

こうして目立たないように引き上げられてきたためか、消費税などと比べても国会で大問題になることはあまりありませんでした。国民の関心が高い消費税は国会でものすごく活発に議論をします。議員たちもそこでアピールすれば目立ちますから。しかし、目立たない社会保険料のほうは、ろくに議論されずに増額されてきました。

国民負担率というものがあります。これは、国民が負担したすべての税金の額の国民所得比（租税負担率）と、同じく社会保険料負担額の国民所得比（社会保障負担率）を足し合わせたもので、消費税が導入された平成元年度は38%程度だったのが、現在は47パーセント程度にまで上がっています。その後消費増税が行われたから当然だと思うかもしれません。ところが、驚かれるかもしれませんが、消費増税があっても、租税負担率のほうは、平成元年度も現在も27〜28%程度と、長い目でみるとあまり変わっていないのです。

では、何が増えてきたかというと、社会保障負担率。これは10%程度から19%前後にまでほぼ一貫して上昇してきました。消費税を上げる上げないに関しては、それこそ政権が倒れるぐらいの議論がなされるのに、こっちのほうは、そんなこと知らないぞ、国民に断ってないじゃないか……。でも、こんな形でステルス国民負担増が続いてきました。

長年にわたり、日本で景気を悪くした元凶として、もっぱら消費増税がやり玉に挙げられてきましたが、実際の租税負担率をみると、むしろ景気を悪くしてきた真犯人は、国会もマスコミも取り上げないでいるうちに進められてきた社会保険料率の引上げのほうだったかもしれません。

参加型民主主義の仕組みづくりを進めている参政党では、参議院議員になった神谷宗幣《かみやそうへい》議員の最初の国会質疑の冒頭で、私からの依頼で取り上げてもらったのがこの問題でした。

そもそも議会制民主主義は、13世紀の英国のマグナカルタから始まったものとされていますが、その趣旨は、王様が税金をとろうとするときには諸侯や国民の合意をとらねばならないことしたことでした。日本の社会保険料率の決定は、この「財政民主主義」の原則から大きく乖離《かいり》しているのではないか、と。

もう一つ大きな問題は、社会保険料を払うのはほとんどが現役世代ですから、少子化・高齢化が続く日本で社会保険料負担に社会保障の財源を求めれば求めるほど、若者世代にずしりと負担がのしかかってしまうことです。

これに対して消費税は、社会保障給付を受けている高齢世代の方も買い物で消費をし、消費税を負担しますから、同じ社会保障費の負担であっても、高齢者も負担する分、若者の負担は緩和されることになります。

「最大の関心事は老後のこと」……いまの若者の多くがそんな意識になっているそうですが、若年世代の多くが未来に絶望しているような国に将来はあるでしょうか。私が若かった頃は、老後のことなどほとんど考えたこともありませんでした。

どうしてこんなことになってしまったのか。

……それは消費増税を受け容《い》れない国民を政治が説得できず、消費増税を政治的に17年間も先送りしてきたからだ、欧州諸国よりも高齢化率が高い国なのに、未だにその半分の10％の消費税率に過ぎないからだ。だから、高齢化が進めば社会保険料率のほうが上昇してしまうのはやむを得なかった。これからも増税ができないなら、こっちがもっと上昇して若者を苦しめることになる。消費増税に反対する「経済の論理」も、これには反論できないだろう……。

これが「税の論理」と「財政の論理」を担ぐ財務省の本音でしょう。

「財政の論理」……財務省はおそらく、永久に「消費税減税」をしない

今まで述べた「税の論理」が繋《つな》がる先は「財政の論理」。ここからさらにいえば、消費税は財源として最も安定しています。法人税などは景気によって大幅に上下しますが、消費税は税収のブレが少ない税金だからです。これも、高齢化の進展で今後も増大していく一方の社会保障費の財源として、消費税が最もふさわしいという判断が出てくる理由です。

この論理に対抗すべく「経済の論理」から消費税を減税しろと言っても、それで何が起きるか。……その分、社会保険料を引き上げて若者を苦しめるのか、社会保障給付を削減して高齢者や患者さんや子育て世帯を苦しめるのか、国債発行額を増やして子や孫たちの負担を増やすことで次世代の人々を苦しめるのか……この「財政の論理」を盾に財務省から反駁《はんばく》されると、たいていの政治家には反論できる知恵がなく、黙ってしまうでしょう。

結局、財政当局からは、消費税を下げるという選択肢は今後も出てこないことになります。

むしろ、社会の高齢化は今後も進んでいきますから、どうやってさらに上げて、せめて欧州並みの税率にしていくかを常に考えるというのが「財政の論理」の実像です。

つまり、消費税率を下げると、社会保険料を上げるか社会保障給付を下げるか、いずれも国民負担増。さらに言わせれば、将来世代の負担増。ある人たちの負担を減らせば、どこかで必ず他の人たちの負担が増える「ゼロサム」の世界が財政の論理です。

これに対抗できるのは、ダイナミックに経済を成長させてパイ全体を増やす「プラスサム」の論理か、現在の財政の仕組みを根本から変えてしまうという論理しかありません。

前者については、私も名目GDPで4％以上の成長を日本経済が永続できれば成り立ち得ると思います。しかし、このままでは2100年には人口が6000万人と、現在の半分にまで減少することが予想されている日本で、それだけの成長を、一時的ということはあっても、ずっと続けると考えるのは、やや夢物語か……。もちろん、夢を抱くことは大事なのですが。

仮に少子化対策が成功して人口減少を反転させることができても、新世代が労働力世代に入って経済成長を押し上げるようになるのは何十年も先のこと。それまでの間、人口減少率をはるかに上回って4％の経済成長を実現できる生産性の上昇を続けることが果たしてできるのか。

もちろん、日本が高度成長を取り戻す理想を掲げるのは大事ですが、こと国民負担につながる財政のことを、そのような想定を前提に考えるようでは、政治家としても無責任。また、成長率を多少上げたところで、それ以上に金利が上昇しますから、国債発行残高が他国に類をみないまでに膨らんだ日本では、この問題が財政も金融も経済も痛める可能性が強いということも考えねばなりません。これは後述します。

このように色々なことを考えると、財政のゼロサムの論理を克服できる道は、結局、もう一つの、財政の仕組みを変えるという道しかないということから、私が提唱するようになったのが「松田プラン」です。これも後述したいと思います。

「ただより高いものはない」——ゼロゼロ融資後の地獄

多くの事業者が財政の論理を突きつけられてとまどっている最近の事例を、ここで一つ挙げてみたいと思います。それは2020年のコロナパンデミックで政府が採った一連の救済策です。その一つが、コロナ禍の影響で売上げが低下した企業は経営が大変だろうということで採られた「無利子、無担保」でのいわゆる「ゼロゼロ融資」。

当初は政府系金融機関のみで受け付けていましたが、申請が殺到して対応しきれなくなり、民間金融機関でも扱うようになりました。日本政策金融公庫からの貸付額は締め切り時点で13兆8702億円、トータルでの保証債務残高は40兆円を超えているようです。

償還期間は10年でしたが、この返済が２０２３年5月に始まります。無利子といっても若干の利子はとられますし、元本の返済などとても無理だ、廃業を迫られるかもしれないという声をかなり聞きます。国の側としては、返済できずに滞る企業が続出した場合、代位返済をすることで、さらに数十兆円の負担を負うことになります。

また、社会保険料の支払い延期という措置も採られましたので、黒字経営の企業でも、「当面必要はないけれど、社会状況が不透明だから、目先の出費に関してはともかく抑えておこうか」との判断で、最初の年の社会保険料の支払い免除を受けたところも多かったようです。

そして、２０２０年度に関しては費用負担が減ったため資金繰り的には楽になったわけですが、その分を含めて翌年に2年分支払わなくてはいけないわけです。

納税に関しても同じです。法人税だとか、所得税も、納税猶予というのは、免除という訳ではなく、ただ「繰り越してもいいよ」ということで先送りしただけなので、２０２１年度の負担感は2年分。大変重いものになりました。

これで経営がガタガタになったり、企業の存続を諦めざるを得なくなったケースも、少なくないようです。

「非常にキツくて、社員の給与を下げざるを得なかった」という話も経営者の方から聞きました。となると、いったい何のための猶予措置だったのかということになりかねません。

たしかに、貸付についてはあくまで返済の繰り延べであって、返済してもらわないと国の財政が悪化してしまうし、支払いや納税の猶予についてはあくまで一時的な猶予であって、履行する義務のある者には履行してもらうというのが財政の論理でしょう。

しかし、この論理を「経済の論理」に優先させれば、せっかく立ち直りかけた経済を再び腰折れさせてしまいます。もう少し待てば廃業しなくて済んだ事業も永遠に復活できなくなり、結局、外資による買収に対して身売りする事業を増やして、日本経済に対する海外勢の支配を進めてしまうことにもなりかねません。これは「国のまもり」を掲げる参政党の立場でも、取り返しのつかない看過できぬ問題につながります。

「財務省真理教」?から、いかにして脱するか

政治の使命とは、国家全体のさまざまな課題の中で、物事の優先順位を決めることだと思います。いつであろうと国民にとって何が最優先課題かを判断し、決断していく力量が政治には問われます。しかし今は、国民から選挙で選ばれた政治家よりも、財務省が支配しているのではないか、これでは「財務省真理教」だと言われています。

特に、防衛増税を決めた岸田政権はそうではないか。このあとも、人の話をよく聞く?　ご本人のメリットを財務官僚たちに対して発揮して、彼らの悲願である消費税率のさらなる引上

げを決めていくのではないかと懸念されています。

会社になぞらえて考えると、会社の収支に責任を持つ経理部は、その立場から時にきついことを言いますが、それはあくまで経理部の判断。それは踏まえつつも、すべてを総合して最終的な落としどころを最後に社長が判断するでしょう。それが経営者の役割です。

財務官僚とて、会社になぞらえれば従業員です。従業員の決めたことに経営者が全てを振り回されているのだとしたら、経営者なんていらないことになってしまいます。

政界の現状は、財務省の振りかざす財政の論理を凌駕するだけの見識をもった政治家がいないということかもしれません。

財務官僚と議論しても結局は勝てない先生ばかり……。

あの安倍元総理ですらアベノミクスの第二の矢である財政出動を思う通りにできなかった……。ただこれは、現状の財政の仕組みから来る制約のためだったともいえます。見識ある政治家に、財政の論理よりも次元の高いところで国家を経営することができるインフラを整備することが課題だというのが、「松田プラン」を提唱する私の立場です。

経済的に「有事」が続く今、優先すべきなのは「経済の論理」だ

今は、経済で言うとずっと「有事」が続いているというのが私の認識です。税の論理を前面

に出して進んでいいのは「平事」です。

残念なことに、この日本では経済的「有事」が、他の国に比べて、比較にならないぐらい長く続いています。それを示すのが異常な超低金利がずっと続いているということ。

デフレ経済からの脱却がまだできていません。供給面から物価が上がってはいても、経済の体質としてはデフレであるということは1章でも述べた通りです。

日銀が2％のインフレ目標を設定して、安倍政権時代に政府と協定を結んだわけですが、この政策がめざしているのは需要《ディマンド》が牽引する形で、安定的に目標の2％が達成されることです。今、世界を覆っている供給インフレとは明確に区別して考えねばなりません。

供給インフレは、金融政策当局にとっては、どうにもならない問題。世界で、例えば原油価格が上がったからといって、金融政策で石油の価格上昇は抑えられるものではなく、需要を極度に冷やすだけのことになります。

人体にたとえて言えば、ある病気の原因があって、その原因に対応した処置をすべきなのに、全然違う原因への手当てをしているような状態です。病気が治らないどころか、下手をするととんでもない副作用を招きかねません。

すでに日本のようなデフレ経済ではない米国の場合、エネルギーや人手不足などの供給面からのインフレであっても、需要面が強いためインフレを加速する恐れがあることを懸念しての金利引上げなのでしょう。米国では、コロナ禍以降、「高圧経済」とも言われるような巨額の財政拡大をしてきましたし、日本よりもずっと大規模な国民への給付金が一気に消費に出てくる状況にもあります。需要の強さが日本とは違います。

日本は今なお金利を上げられないぐらい異常なデフレ体質の状態が続いており、ディマンドプル（需要が牽引する形）で安定的に2％のインフレ状態が達成されるまでは、大胆な金融緩和を続けざるを得ない局面に今なお置かれていると考えるべきです。

本書執筆時点（23年1月中旬）では、日銀が「長期金利の上限を0・5％まで引き上げた」ことが、今後の金利引上げ、異次元の金融緩和の出口への模索の開始だとマーケット筋に受け止められ、その思惑で市中金利が上昇し始めるという現象まで起きました。

しかし、そうした受け止め方は間違いであるとともに、大変危険だと考えています。

そうではなく、これは市場の実勢に合わせながら、市中のマネーを増やす金融緩和策を強化したものです。大方の市場関係者や経済評論家たちの見方とは異なり、日銀の金融緩和姿勢は全く変わらず、黒田《くろだ》日銀総裁自身、そう言明していました。

総裁の意図通り解釈すべきなのに、どうも、グローバルな勢力が市場に思惑を流して一儲けしようとする意図があるのではないかと勘繰《かんぐ》ってしまいます。

ここで日銀が何を意図したのかを解説すると、それはイールドカーブコントロールという手法で、2016年頃から実施されています。長期金利があまりにも低すぎる状態では、銀行は貸し出しをしても利ザヤが薄いため、簡単に貸し出しができなくなってしまうのです。

多くの人が誤解していることなのですが、そもそも中央銀行である日銀は市中マネーを増やすことなどできません。今の資本主義経済は、そういう仕組みになっていません。日銀が直接増やすことができるのは、後で詳しく述べますが、銀行が日銀に預ける形になっている日銀当座預金だけといってよいでしょう。しかしこれは民間の人たちが使えるお金、つまり市中マネーではありません。市中マネーが増えなければ物価も上がりません。

では誰が市中マネーを増やしているかといえば、市中銀行なのです。

「信用創造」という言葉がありますが、銀行が貸し付けなどをすることで生み出されているのが市中マネーです。市中マネーには預金と現金があります。現金といえば、銀行券は日銀が発行していますが、これは銀行が信用創造によって増やした預金の一部が現金と交換されることで増えるもので、日銀は銀行券に対する需要に応じて受動的に発行しているだけなのであって、能動的にこれだけ増やそうと考えて増やしているものではありません。

事実、2013年4月から始まった異次元の金融緩和のもとで、昨年の3月末までの9年間で、日銀当座預金は58・1兆円から563・2兆円へと505兆円も増えましたが、お札（銀行券）は83・4兆円から119・9兆円へと37兆円しか増えていません。

だから、「異次元緩和で日銀はお札を刷りまくっている」という言い方は正しくありません。

では、日銀は自分が直接増やすことができない市中マネーをどうやって増やそうとしているのかについてはあとで詳しく述べますが、市中マネーを増やしている銀行が、ではどうやってこれを増やしているかというと、銀行からお金を借りた経験のある方ならご経験があると思いますが、融資を受ける際には、そのための預金口座を開いてくださいと言われます。そして、100万円を借りるときは銀行が通帳に100万円と数字を打ち込みます。

市中マネーは、これだけで100万円増えます。だから、銀行はいくらでもお金を創れることになります。ただ、銀行とて商売です。預金者には預金金利を支払っていますから、貸し出し先である相手がお金を儲けて、少なくともそれ以上に高い金利をつけて確実に返済してくれると見込める先にしか、貸し付けはできません。

「儲けなきところにお金なし」まさに資本主義経済のお金です。

銀行側からみれば、金利をつけて返してくれる先があまりなければ、お金を増やせませんし、預金やコール市場などで調達したお金には金利をつけて返さねばなりませんから、そここ高い金利でないと、その差である利ザヤを確保して収益を上げることができません。

普通、銀行は長期金利で貸し付け、短期金利で調達していますので、その差が大きいほど、銀行は貸し付けをしやすくなります。イールドカーブコントロールというのは、長期金利を上げることで、その差を拡大し、銀行がもっと貸し付けを増やそうとするように仕向けるものです。日銀が市中マネー増大のためにできるのは、銀行が貸し付けを増やす環境をつくることだけです。この点が意外と理解されていません。

かつて、銀行員の方から、長期金利が低すぎると、5000万円や1億円といった小さなロットの貸し付けでは、管理コストのほうが余計にかかってしまうので、中小零細向けの融資は簡単にできないと聞いたことがあります。そのままでは結局、大きなロットで借りられる大企業にばかりマネーが供給されてしまうことになってしまうでしょう。

日銀が短期金利をマイナス0・1%に据え置き、長期金利の上限金利を0・25%から0・5%に引き上げたのは、まさに市中マネーを増やす緩和政策のためだったことがお分かりかと思います。市中で国債の金利が0・5%になったときは、それ以上長期金利が上がらないよう、日銀は必要なら無限に国債を買うことになります。これも金融緩和です。

上限金利の引き上げは、市場の実勢を見ながら、国債金利の変動範囲を調節しているだけの話で、「金利引き上げへの転換」とか「緩和政策の修正」というのは言い過ぎでした。

「経済の論理」の1丁目1番地は、異常なデフレ経済からの脱却

「経済の論理」からすれば、現在の最優先課題が日本経済のデフレ的な体質からの脱却である

ことは言うまでもありません。これを達成するために、今の日本に何が最も足りないのかというと、ともかく国内でのお金の回りが足りない。

賃金上昇が伴うディマンドプルのインフレ率2%達成が目標ですが、継続的な賃金上昇は生産性の上昇なくしては実現しません。その生産性の上昇のためにも、企業がそのために必要な前向きな投資をするなどの努力が必要ですが、経済全体でお金が回って、自社の商品に対する十分な需要がなければ、そんな努力も現実には困難です。

まずはマネーを力強く回す。では、日本にはその原資となるお金がないのかといえば、実は、十分すぎるぐらいあることを忘れている人が多いようです。

日本の対外純資産残高は30年以上にわたり世界一（21年末で411兆円）です。これは海外に対する債権（海外への貸し付けや海外の国債や債券や株などへの運用）から、海外に対する負債（海外からの借り入れなど海外からの資金調達）を差し引いたものです。

これが世界最大ということは、日本は世界に対して最も多くのマネーを供給している国であることを意味しています。これに対し、米国は逆に、世界一の対外純負債残高の国で、21年末でこれが2000兆円を超える累積債務国です。

では、日米のどちらが経済成長をしているでしょうか？　債務大国である米国のほうが、債権大国である日本よりもはるかに経済が活発で力強い成長を遂げています。日本は債権者だと決して威張っていられません。むしろ逆です。

日本人が汗水たらして働いて積み上げた資産が国内でマネーとして活かされて、それにふさわしい豊かさを実現することなく、逆に、米国など海外を豊かにしてきたとは。なんとお人好しな国なのでしょう！

日本の金融資産は家計、企業、政府併せて4000兆円以上にのぼります。うち1400兆円が国債などを通じて財政に回り、ほかに企業や家計に回っても、まだ国内では運用しきれず、国内からあふれ出るように海外に回っているわけです。つまり、これまでの日本は国内にマネーを運用して自国を豊かにする知恵と工夫が足りなかった国だといえます。

ですから、この構造を変えて、日本人の蓄積を海外よりも、もっと国内にマネーとして回すことが、経済政策の1丁目1番地だと、私はずっと提唱してきました。

何をすべきかと言えば、国債を増発して財政支出を拡大し、お金を国内に回すことです。これはわかりやすく言えば、海外に運用されている分も含めて4000兆もある金融資産の構成が、その中でほんの少し、国債への運用に移行するだけのことです。

もちろん、国内への運用を増やす道としては民間の投資を増やす道もありますが、将来の人口減少でマーケットが縮小する予想のもとでは、民間企業としてはなかなか簡単に国内投資を大きく増やす決断ができないでいます。余剰資金があれば、どうしても海外に投資してしまう。金融緩和をしても、銀行はより利回りの高い海外への運用を増やしてしまうだけ。

結局、マネーを増やすにも財政が出るしかないのが日本のデフレ経済の実態です。

これは「財政の論理」とぶつかりますが、今は「経済の論理」を優先すべき局面です。日本にはそれができるだけの金融資産がある。これを活かさない手はありません。

金融緩和のもとでのお金の増やし方

現在は日銀が超金融緩和のもとで国債を買いまくっている局面です。国債を増発しても金利が大幅に上がって経済を冷やしてしまう懸念はありません。

では、市中に直接、お金を供給できない日銀が、国債を買うことによってどのようなメカニズムで市中マネーを増やそうとしているのかを、ここで簡単にみておきましょう。

2013年4月からの異次元の金融緩和で日銀は国債を市中から「爆買い」してきました。日銀が民間から購入した国債などの金融商品の代金は、銀行が日銀にもっている「日銀当座預金」（日銀の負債）に振り込まれます。

日銀が買った国債は日銀の資産に計上され、これによって日銀のバランスシート（B／S：貸借対照表）は、国債の購入額分だけ資産と負債の両建てで拡大します。日銀は国債のほかにETF（上場投資信託）といった金融商品も購入してきました。

このオペレーションによって日銀のバランスシートは13年3月末から22年の3月末までの9年間で164・3兆円から735・8兆円へと572兆円も拡大し、そのGDP比は世界一になっています。でも、前述のように、これだけでは市中マネーは増えません。金融の世界の中で、ただ日銀のバランスシートが膨らんでいるだけです。

日銀は、ご承知のように「銀行の銀行」である、と学校などで習っておいでかと思いますが、日銀当座預金というものが何のために存在しているのかというと、銀行と銀行との間の決済のための口座で、元々は準備預金でした。

たとえば、市中銀行に預金者が来て預金を引き出すとします。そのためには、現金の準備が必要です。この準備のために、銀行が自らの預金額の一定割合を日銀に預けておきます。これを準備預金というのですが、この準備預金から引き落として日銀券を引き出す。

銀行はそれを、預金を引き落としに来た一般の預金者に渡すということをしているわけです。日銀当座預金は、そのための準備預金として始まったものです。

これが私たちの生活とどう関わっているかというと、たとえば、私がAさんに100万円を送金しようとする場合で考えてみましょう。仮に私が三菱UFJ銀行を使い、Aさんが三井住友銀行を使っていた場合、三菱UFJ銀行から三井住友銀行に100万円送金します。そうすると何が起こるかというと、三菱UFJ銀行が日本銀行に持っている三菱UFJ銀行の日銀当座預金から100万円引き落とされて、三井住友銀行の日銀当座預金の口座に振り替えられるのです。

これがいわゆる「送金」です。全ての銀行間の資金決済は、日銀当座預金の口座の間で行われるという仕組みになっています。

銀行同士で直接お金のやり取りをしているわけではなく、それぞれの金融機関が日銀に預けている当座預金の中で処理されているわけです。

だからこそ、日銀は「銀行の銀行」と呼ばれ、日銀当座預金というのは銀行がお金を預けた形になっているので、日銀は「預けられた側」ですから、日銀にとってはこの当座預金は「負債」ということになります。

ここからが大事です。今のところ、日銀当座預金は金利が基本的に0です。

元々は、金利0の準備預金が中心でしたが、引き出しの準備に必要な額をはるかに超えて積み上がっています。その中には、0・1%の部分もあれば、日銀がマイナス金利を導入してからはマイナス0・1%の部分もありますが、全体をならしてみて0%だと考えて良いでしょう。

この日銀当座預金が巨額になると、銀行側からみれば自らの資産のうち金利のつかない部分が大きく拡大することになります。一般に、金利がつかない資産はノン・パフォーミング・ローン。一種の不良資産のようなもの。預金者などに金利を支払わねばならない銀行としては、別途、貸し出しなどを増やして金利収入を上げることを迫られます。

　こうして信用創造、つまり、先にみたような市中マネーの供給が拡大する。これは、銀行の資産選択（ポートフォリオ）の比率を、より金利収入の多い方向へと動かすことになります。黒田日銀総裁の金融緩和は、こうした「ポートフォリオ・リバランス」を狙ってきたわけで、まさに銀行が貸し出しを増やす環境を強化するのが「量的金融緩和」です。

「日銀の論理」と金融緩和の「出口」

　日銀が国債を購入し続けている限り、政府はいくらでも国債を発行できることになり、財政拡大は容易になります。ただ、たとえ市中からとはいえ、日銀が国債を大量に購入するのは、あたかも日銀の国債引き受けのようなもので、日銀の独立性に反するのではないかと言われるかもしれません。

　しかし、これはインフレ時代に強く求められた考え方です。政府には国債をどんどん発行して財政拡大をする傾向がある。だから、インフレ抑制のために日銀は政府を牽制できる独立性を確保しなければならない……。

　しかし、今は逆に、経済をマイルドなインフレにもっていかなければならないデフレ経済の局面です。もちろん、日銀の独立性は重視しなければなりませんが、日銀の金融政策は「政府の経済政策の基本方針と整合的なものとなるよう、常に政府と連絡を密にし、十分な意思疎通を図らなければならない」と、日本銀行法第4条に書かれています。

ただ、日銀としてもいつまでも無限に国債を買い続け、バランスシートを拡大していく一方であるわけにはいかないという事情があります。いずれかの時点で異常に膨らんだバランスシートを縮小に転じさせなければならない。現在の「日銀の論理」はこれです。

つまり、日銀は、国債や銀行に対する貸付金、そして最近のETFなど、色々な資産を持っているわけですが、その資産と、負債（日本銀行券と日銀当座預金）との間で常に辻褄《つじつま》が合っていなければなりません。例えば、現在の金融緩和が成功して、将来、金利が上がった場合などには、ちょっと困ったことになるわけです。

その時、日銀が大量に持っている長期国債の金利はゼロに近いレベルで変わらないのに、短期の日銀当座預金の金利を市中金利と連動して引き上げなければならなくなるとすると、日銀にとっては逆ザヤが発生して、バランスシートの辻褄が合わなくなってしまいます。これが現在のような大きなバランスシートの状態で起きると、日銀の財務が痛みます。

だから、日銀としてはできるだけ早くインフレ目標を達成し、異常に拡大したバランスシートを縮小して元の正常な規模に戻したいと考えています。これを「出口」と言います。

そのためには、日銀の負債の側で日銀当座預金が減らなければなりませんが、では、どうやって減らすのか。実は、この点はあまり知られていないのですが、日銀当座預金は銀行が日銀に預けている預金という資産ではあっても、銀行がこれを自由に取り崩して、貸し出しなどの運用に回す性格の預金ではありません。ですから、経済が活発化して資金需要が拡大しても、日銀当座預金が大きく減るという関係にはありません。

膨らんだ日銀のバランスシートを元に戻す道は一つしかない

日銀当座預金が減るのは次の3つの場合に限られます。

①銀行が手持ちのお札（紙幣、つまり銀行券、以下「日銀券」とします）を増やすとき。

このとき、準備預金としての日銀当座預金が日銀券という、日銀のもう一つの負債に姿を変えます。日銀のバランスシート全体の規模は一定のままで、日銀の負債の中での構成割合が変わります。

②政府が民間からお金を吸い上げたとき。

日銀は「政府の銀行」でもあり、政府のお金の決済はすべて、政府が日銀に持っている政府口座と日銀当座預金との間のやり取りによってなされます。税金でも国債でもなんらかの形で民間から政府にお金が入るときには、日銀当座預金から政府口座にお金が移動しますので、その分、日銀当座預金は縮小します。

ただ、税金でも国債発行でも、政府に入ったお金は必ず何らかの形で政府が支出しますので、そのときは政府口座から日銀当座預金へとお金が動きます。結局、ならしてみれば、政府とのやり取りで日銀当座預金が大きく減ることはありません。

③日銀が持っている国債などの金融資産が減ったとき。

国債を例にとると、一つは、日銀が保有国債を民間に売却したときです。このとき、日銀の資産はその分減少するとともに、その売却代金は日銀当座預金から引き落とされます。

もう一つは、日銀の保有国債が満期を迎えるなど、政府から償還されたときです。このとき、政府は国債発行や税金などで民間から吸い上げたお金で、日銀が持っている国債を消しますので、日銀の資産はその分減少するとともに、政府が民間からそれに相当するお金を吸い上げた分だけ日銀当座預金も減少しています。

いずれの場合も、日銀のバランスシートは資産、負債の両建てで縮小します。

結局、日銀のバランスシートが大きく縮小するのは、日銀が持っている金融資産を日銀が民間に売るか、それが償還を受けたときのいずれかに限られます。

ただ、金融緩和の「出口」に向けて国債を売却すると、市場で国債の価格が下がる、すなわち金利が上昇するという副作用が懸念されます。これは緩和政策を転換するという強いシグナルを市場に与えますから、金利上昇の思惑で国債が暴落し、過度に金利が上がって、経済には大きな打撃となる可能性があるので、日銀は簡単には国債を売却できません。

ですから、実際に「出口」戦略を円滑に実行するにはどうすればよいかが日銀にとっては大きな悩み。長年、緩和政策を続けてきた各国の中央銀行も同じ悩みを抱えてきました。

米国では、かつては日本と同じように量的緩和を推し進め、国債や住宅ローン担保証券といった金融資産を市中から買いまくっていました。それでバランスシートも膨らんだのですが、日本よりも早く経済状態が良くなったため、だいぶ前に出口を模索し始めました。

そこで採ったのが、いきなり国債を売るのではなく、まずは、これ以上の国債購入をストップすることでした。そうすると、保有国債はいずれ自動的に満期が来て償還されるので、その分ずつ、バランスシートは自然に縮小します。

これを、蝋燭が溶けて小さくなっていくことにたとえて「テーパリング」と呼びます。

いずれにしても、中央銀行にとって出口は神経を使う、恐る恐るの難儀です。

日銀の論理を超えて、財政による経済の論理を

今は例外的な有事だから、国債をバンバン買って、バランスシートが異常に膨らんでいる。でも、この事態を続けていると、日銀の資産と負債とがちゃんと金利的に辻褄が合っているという「バランスシートの健全性」が崩れてしまう。

だから、いずれはバランスシートを縮小してコントロールしやすくしたいというのが日銀の論理。日銀にとっては国債の金利収入と、日銀当座預金の金利との間で利ザヤが出ていれば、儲けが出ることにもなります。これを「通貨発行益」とも言いますが、こうした日銀財務の健全性が円という通貨の信認の源泉だということも日銀の論理かもしれません。

ただ、日銀は儲ける必要がありませんから、こうした利ザヤによる儲けは国庫納付する形(政府の収入)になり、それが税外収入として予算(一般会計)に組み込まれる仕組みになっています。この点では、利益をあげて企業価値を高めて株価を上げるという「企業の論理」とは、日銀は異なる立場にあるはずです。

むしろ、通貨に対する信認の決め手となっているのは、一国経済全体のパフォーマンスではないかと思います。日本経済が力強く成長する姿こそが円への信頼と価値を維持する源泉であ

るはず。2022年には急激な円安が進んだことが多くの国民を心配させましたが、それは日本の異常な低金利と海外の金利との間の金利差で説明されていました。

ただ、より本質的には、日本経済が異常な低金利を続けざるを得ないほど弱いという経済実態が招いた円安だと捉えたほうがいいでしょう。

経済が強ければ資金需要が増え、自然と金利が上がり、海外との金利差もなくなる。これが最大の円安回避策であるはずです。

日銀の植田和男《うえだかずお》・新総裁にも、低金利は行き過ぎた円安を招く、そろそろ異次元緩和策は転換だ、だから金融引き締めに転じて金利が上がるようにしなければならないなどといった圧力に負けることなく、デフレ経済からの脱却に向けて引き続き粘り強く金融緩和を続けていただいて、日本経済のパフォーマンスを改善することを優先してほしいものです。

それは、国内に強力なマネー循環を取り戻すために必要な財政拡大のうえでも必須の条件です。日銀に国債を買い続けていただかなければ、後顧の憂いなく積極財政を展開することが難しくなってしまいます。

市中マネーを直接増やせない日銀にとって、マネー増大のうえで目詰まりを起こしている問題の本質は、リスクをとって貸し出しを増やすことに消極的な銀行の体質にあります。だから、マネーを増やすうえで金融政策だけでは限界があるということが、これだけの長期間にわたって「異次元」ともいえる金融緩和を続けても、なおインフレ目標が達成されてこなかった最大の原因です。

ここで出番なのが財政です。銀行の信用創造以外にもう一つ、市中マネーを増やす方法は、国債発行を増やして財政支出を増やすことです。政府が発行した国債を銀行が買えば、政府がそれで得たお金を財政支出で民間に出すことにより、経済全体で預金通貨が増え、市中マネーが拡大します。もちろん、これで需要が増えることで企業の売り上げなども増えれば、銀行が融資できる貸し付け先も増えますから、その面からもマネーが国内で循環し始めます。

これが、対外純資産残高世界一の日本におけるマネーの増やし方であり、「財政の論理」も「日銀の論理」も超えた、現局面での「経済の論理」だと思います。

3章

財政の論理を乗り超えるために

知っておきたい〝国債の物語〟と
国民本位の財政運営基盤づくり

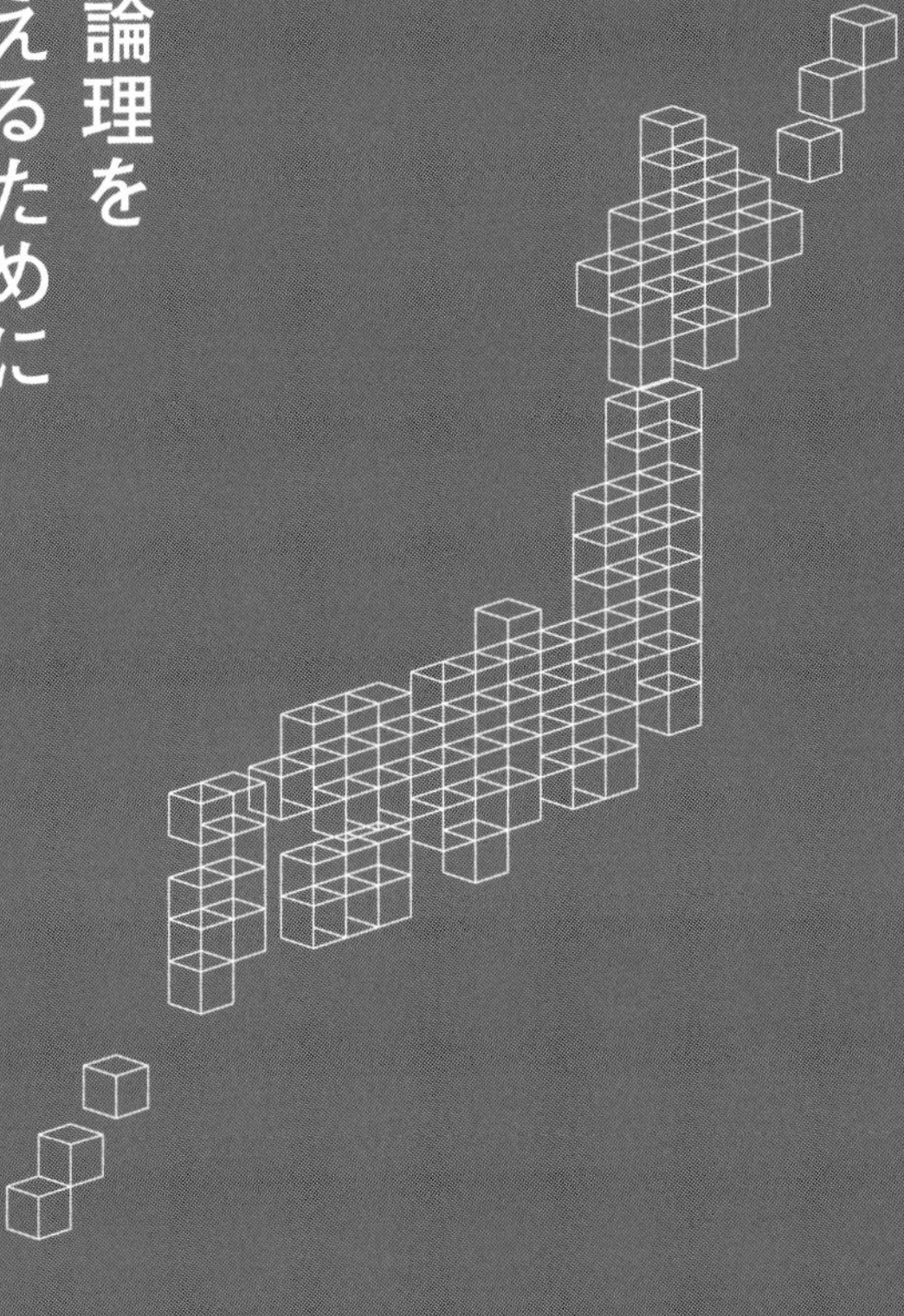

国債――「日本国民一人当たり1000万円の借金を背負っている」という巧妙な嘘《うそ》

将来に対して不安を抱いているという日本人にその理由を尋ねると、最大の理由として「膨大な国債の発行残高」を挙げる方が多いようです。

「赤ちゃんまで含めて、一人1000万円ずつの借金を背負わされている」とか、「政府は湯水のように国債を増発するが、人口減少している現役世代・将来世代に返済という重い荷を負わせるばかりで全く無責任だ」「少しでも無駄な金を使わないように切り詰めないと」などの話は誰でも聞いたことがあるでしょう。

しかし、これは壮大な「税の論理」「財政の論理」の根幹を形作っている話《ナラティブ》で、国民に緊縮財政を説得し、増税へと導くために意図された巧妙な仕掛けでもあります。

他方で「国債がいくら増えようと何の問題もない」という説も、実は間違っています。

両方とも正解ではなく、私が提案している松田プランは、この問題を根本的に解決しうる唯一の方法だと考えています。その話に行く前に、ここで、日本の国債をめぐるストーリーと真実についてご説明していきましょう。

かつて大蔵省が「緊縮財政」を本格化させたのは１９８０年代に入った頃からでしょうか。１９７９年に大平正芳《おおひらまさよし》政権が一般消費税の導入に失敗し、増税では財政問題は解決できないということになりました。そして翌年の１９８０年には、今の鈴木俊一《すずきしゅんいち》財務大臣のお父さんである鈴木善幸《ぜんこう》総理大臣の政権のもとで、「増税なき財政再建」が掲げられることになりました。

その後はずっと、財政の健全化は歳出削減によって行う、ということが続き、その手段として「行政改革」が与野党問わず、政治の最重要課題になっていきます。前記の大蔵省のプロパガンダ戦略も、この頃から本格化しました。

読者の中で一定の年齢以上の方は覚えておいでかもしれませんが、「国の借金を1万円札にして積み重ねていくと、富士山の何倍もあるんだ」といった情緒的な刷り込みがなされたわけです。

私はちょうど大学を卒業して大蔵省に入省するかしないかくらいの頃でしたが、多少経済学を知ってる人間からすれば、「これは子どもだましの最たるものだ」と感じたものです。学生の時に面接を受けに行ったとき、面接官として出てきた大蔵省の先輩がこんなことを言うので、大蔵省って経済学を知らない人が動かしているのかと思いました。省内でもこうした単純なプロパガンダを信じている人が多かったと思います。

「増税なき財政再建」が掲げられて以降、大蔵省は歳出カットに全力を挙げてきました。

大蔵省主計局の大事な仕事は、他省庁をすべて「要求官庁」とみなし、毎年度の予算編成で出される予算要求を査定することです。この予算要求そのものに「シーリング」という上限を設けて、「ゼロシーリング」だの「マイナスシーリング」だのをやってきたわけです。

おかげで多くの省庁の官僚たちは、〝どうせ大型の新規政策を打ち出しても通らない〟と最初からあきらめ気分になり、以後、霞が関の政策空間が狭まってクリエーティブな官僚も少なくなっていったと言われます。主計局側は「骨まで削れ」がモットーになり、これが続いた結果、現在でも、少なくとも毎年度の当初予算での経常経費は、雑巾を絞れるだけ絞りきった、かなりのケチケチ財政になっていると思います。

そこで多くの官僚たちは、補正予算とか、震災復興だとか、コロナ対策といったチャンスを活かして、ここぞとばかりに予算要求を積み上げることが繰り返され、この部分では結構、無駄が多く指摘されてきたところです。

しかし、全体としてみれば、高齢化の進展で社会保障費が膨らみ、それで赤字国債の発行に依存しているのが日本の財政。OECD加盟国32か国での対GDP比の比較では、日本は政府の総支出は25位ですが、社会保障支出は第11位なのに対し、社会保障支出以外の政府支出は第31位と、ブービー賞状態（ビリの第32位はアイルランド）。

これは何を意味しているかというと、日本は一生懸命に支出を抑えても、高齢化で社会保障支出が増えて、それに大きく財源を奪われて、それ以外は先進国で最もお金のない小さな政府になってしまったということです。それが緊縮財政の姿となって現われているわけです。

財務省の論理では国債発行は良くないことになる理由

これだけケチケチ財政をやっていても、政府債務の対ＧＤＰ比のほうも日本は約２６０％と、１７６カ国で比較して世界最大（20年の数字、第二位はギリシャの約２１２％）。これは第二次大戦末のときと並ぶ水準で、まさに財政も有事か……？

こう聞くと、「巨大な国債発行残高が今後日本国民に重くのしかかる」というプロパガンダには、説得力がありそうです。

確かに、今の財政の仕組みを前提に考えれば、彼らの気持ちがわからないわけでもありません。現状では、国債はその大半を金融機関が持っています。国債は償還の時期が来たら必ず償還しなくてはいけない。当然ながら税金では足りないために、借換債《かりかえさい》を発行して償還しています。

世の中には、借換債を発行してこれをずっと続けていけば問題ないじゃないかという経済学者もいますが、金利の分はもちろんそうはいきません。いまは超低金利ですから、政府の金利負担は低く抑えられていますが、今後、経済が正常化して金利が上昇しますと、国債残高が約

1000兆円ですから、金利が1%上がるごとに10兆円ずつ毎年度の利払い費が増えていく計算になります。これも税金で返すか、国債増発で返すしかない。

現在は、国の一般会計予算の4分の1ぐらいが国債の処理（国債費＝元本の償還費と利払い費）に充てられています。国債残高が増えれば、国債費のほうも増えて、将来、たとえばこれが予算の半分まで達した場合のことを考えてみますと、私たちの子や孫の世代が納める税金の半分が、銀行などの金融機関やお金持ちが保有する国債の処理に充てられるというようなことになる。それでは子や孫が可哀そうだ、ということになります。

同じ税負担でも、自分たちへの公共サービスとして返ってくる部分は半分しかないとなると、納税者として割に合わない、納税する気持ちになれない……。

また、一般論として金融資産が膨らんでいくと、金利収入の伸び方は経済全体を上回ります。「金融資産を保有しているのはお金持ちが中心なので、格差が拡大していく」ということを、フランスの経済学者、トマ・ピケティが論じて話題になったことをご記憶の方も多いでしょう。

よく、国債は政府の債務であっても、民間の資産なのだから問題ないと言われますが、それは将来、国民が税金で負担してお金を返してくれるという意味で資産なのであって、しかも国民のほとんどがその資産を持っていないということをよく考える必要があります。

本来の金融資産とは、それが経済に新たな富を生むことで、その富から投資家に分配されるという性格のものではないでしょうか。

国債は逆に、未来の一般国民から富を奪って一部の人に分配するという不公平を招くもの。同じ投資なら、国債ではなく、もっと経済の生産性を高める金融資産に投資すべきもの……こうみてくると、やはり財務省が言うように、国債を減らしていくのが正しそうです。

金利のことを考えると、財政の論理は経済の論理を打ち負かしてしまう？

ただ、経済の論理からいえば、経済成長で税収を増やせば、国債発行も減るではないかということになります。

しかし日本の場合、ここまで国債発行残高が巨大ですと、成長率の上昇に伴う金利の上昇で増える利払い費に税収増が追いつくのには長い期間を要します。少なくとも当面は差し引きで財政がかえって悪化し、その分、また国債発行も増えてしまう。

ならばせめて、政府の債務の経済に占める規模を一定に抑えられないものか……。そこで出てきたのがプライマリーバランス（ＰＢ＝基礎的財政収支の均衡）という考え方でした。

このＰＢとは、国債費以外の政府の支出の財源が、国債発行以外による収入、つまり税収などで賄われる状態のことです。毎年度の国債発行額＝国債費となればＰＢがバランスしていることになります。

これを家計にたとえていえば、家計費が収入の範囲で賄われ、新たな借金はこれまでの借金の元本と利子の返済の範囲にとどまるという状態です。

ここはちょっと難しい話になるので、次の段落は読み飛ばしていただいても結構ですが、PBの状態では、毎年度の国債発行の増加は国債の利払い費分ということになりますから、政府債務残高のGDPに対する比率（政府債務残高／GDP）は、次の分数となります。

［前年度の政府債務残高×（1＋国債の利率）］
÷［前年度のGDP×（1＋前年度からの経済成長率）］

分子の国債の利率が分母の経済成長率と同じであれば、（政府債務残高／GDP）は前年度と同じになりますから、政府債務残高のGDPに対する比率は一定に保たれますが、こうなるために必要な条件は二つあることになります。

一つはPBが達成されること。そこで、緊縮財政が正当化されてしまいます。

もう一つは、金利が経済成長率以下であること。現在は異常な低金利ですが、経済が正常化した段階では、金利が経済成長率を上回ることになるのが普通です。

結局、デフレ体質からの脱却でめざしている日本経済の状態が実現しても、財政にとっては金利が悪さをしてしまうので、ＰＢは均衡どころか黒字にしておかないとならないことになり、財政の論理が経済の論理に打ち勝ってしまいます。

これで、いつも景気か財政かの論争が起きて、堂々巡りになってしまうわけです。

ただ、以上は〝財政の仕組みが今のまま変わらなければ〟という前提のもとでの議論です。**国債残高を、もし別の方法で減らすことができるのであれば、財政の拡大で国内のマネーの循環を強化できることになるはず**です。現状の堂々巡りを変えるには、前提条件を変える以外にありません。そのためには、従来からの財務官僚たちの発想を超えた政治家としての大胆な発想が必要です。これが後の５章でお話する松田プランです。

これによって、インフレを招くことなく、日銀が保有する国債は自然と政府発行デジタル円という新しいお金に生まれ変わり、日銀のバランスシートも縮小していき、国債が初めて、国民みんなが使える本物の資産になることになります。

これは財政の論理も日銀の論理もＯＫとなるものです。私たちはこれらの呪縛から初めて解き放たれて、経済の論理を後顧の憂いなく貫徹できるようになります。

増える一方の赤字国債の物語

ならば、早く松田プランの話をしてくれと言われそうですが、きちんと理解していただくためには、もう少し、財政の論理の中で何が起こっているかを見ておく必要があります。

かつて1975年に、日本ではオイルショック後の大不況に見舞われて税収が大きく落ち込んだために、ついに戦後初めて赤字国債の発行に追い込まれました。

戦後の日本はGHQに強制された「財政法4条」に縛られて、赤字国債の発行はもともと禁止されています。公共事業の財源となる建設国債ならいいけれど、それ以外は赤字国債と言って、ダメなのです。

その赤字国債を初めて発行したのが大平大蔵大臣の時でした。大平さんは、そのことをお亡くなりになるまで悔いていて、今の世代の間に赤字国債は償還しなくてはいけない、とずっとおっしゃっていたそうです。

建設国債は発行後60年かけて償還するというルールで扱われています。しかし、赤字国債は一時的に財源が不足して借金をするものだし、将来に資産を残さないわけだから、今の世代の人たちで責任をもって返すべきだろうという考え方でした。

しかし、どんどん赤字国債は膨らんでいき、毎年毎年赤字国債の償還をやっていたら予算を圧迫してしまう。しかも、簡単に増税もできないし、ということで、当時の大蔵省の私の先輩たちが悪知恵を働かせて、赤字国債も60年償還に入れてしまいました。

当時、この操作を担当していた大蔵省の私の先輩が、「あれは実は理屈がなかったんだよね」と、何十年も経ってから私に述懐していました。

建設国債の60年償還ルールと言うのは、道路や橋といったインフラや建物などの実物資産なら後世に残るので、それは後世代の人たちにも受益が及ぶから、各世代で負担を分かち合うのが公平だという考え方によるものです。60年といえばおよそ三世代ですが、たとえば建物の耐用年数（寿命）は一応60年となっていますので、これに合ってはいます。

ところが、赤字国債は後世代に資産を残しません。だから、三世代にもわたってツケを負担させるのは世代間不公平だ、というのが本来の理屈です。なのに、これも理屈抜きで60年償還の対象にしたことで、毎年度の元本償還負担（債務償還費）は大幅に節約されました。

要するに、借金を将来世代に飛ばしてきたのですが、これで国民にも財政当局にとっても国債発行の痛みが薄らいだことが日本の財政をここまで悪化させた元凶だったと言われそうです。

しかし実は、この60年償還という**「減債制度」（国債残高を減らす制度）をルールとしている国は世界の中で日本だけ**です。この問題にもう少し、突っ込んでみましょう。

「財政の論理」の根本にあるのは60年償還ルールと建設公債の原則

日本の財政当局が財政規律の根幹にすえているのが、国債の60年償還ルールです。

これは、日露戦争の戦費を借りる際に、高橋是清《たかはしこれきよ》蔵相が出し手のユダヤ系資本家、ジェイコブ・シフを説得し、当時約2億ドル（現在の約1兆円）を借りるための条件として、返済財源を積み立てる制度を設けたのが始まりだとされています。

多くの国々が同様の積立制度を営んでいた時期がありましたが、他国はとうにやめていて、未だに続けているのは日本だけ。日本人が真面目過ぎるのかもしれません。

そして、国債についてはもう一つ、1947年に施行された財政法があり、そこには「非募債主義」といって、国は借金をしてはいけないという原則が規定されています。

1947年といえば、日本国憲法が施行された年。GHQは日本国憲法では交戦権を否定させて専守防衛を押し付け、財政法においては借金（国債発行）で軍事力を拡大できないようにして、日本を二度と米国に歯向かうことのできない国にしようとしたわけです。

財政法4条は、日本国憲法9条と同様に、米国がいかに日本を恐れていたかということを如実に示す法律といえるかもしれません。

日本が明治以来、国債を次々に発行して莫大な軍事費・戦費を調達し、あっと言う間に軍事大国になったことを踏まえたのでしょう。

禁止された国債発行の中で認められた例外が、公共事業、出資金、貸付金の3つでした。財政法4条では、国は借金してはいけないとしたうえで、ただし「公共事業費、出資金及び貸付金の財源については、国会の議決を経た金額の範囲内で、公債を発行し又は借入金をなすことができる」と書いてあります。

公共事業への支出は前述のように実物資産を形成するための支出ですから、バランスシートの考えでいえば、実物資産は後世に残る目に見える資産です。出資金や貸付金も国の資産ですから、これらに対応した負債があることは正当化されるというのが「建設公債の原則」で、そうでない負債である赤字国債は財政法4条の特例として「特例公債」と言われています。初めて赤字国債を発行した1975年度はまさに「特例」という意識だったのでしょう。

その後、赤字国債の発行が常態化しても、財政法違反にならないよう、毎年度、「特例公債法」を制定してこれを発行してきましたが、これが与野党間の駆け引きでなかなか成立しない場合、その年度の赤字国債を発行できず、政府が機能できなくなる可能性が生まれます。それを排除するため、近年では、5年度ぐらいの単位でまとめて「特例」を法律で認めています。

ただ、現在の会計学では「資産」の考え方も進歩していて、「実物」だけが資産ではないはずです。民間企業の会計では、すでに実物以外に「無形資産」を広く資産として認めて計上するようになっています。貸付金や出資金は財政投融資の側での話になりますが、国の一般会計の側では公共事業しか「建設公債」として認めないというのも、実物資産しか資産として扱えなかった、古い時代の時代遅れの発想であるように思われます。

政府は毎年のように景気対策として補正予算を組みますが、そのときに必ずといってよいほど積み上げられるのが公共事業費です。これなら建設国債で予算を増やしやすいからなのですが、実際にはなかなか予算を消化できないでいます。

もちろん、インフラ整備は重要です。

ただ、構造改革を掲げた小泉政権のもとで、公共事業費は利権の巣窟《そうくつ》とレッテルを貼られて削られ、さらに「コンクリートから人へ」を掲げた民主党政権のもとでさらに削られ、民間側からしても「安定的に事業が降りてくる分野ではない」ということになり、多くの人材や建設会社が撤退してしまったということが、公共事業を増やすうえでのネックとなっているようです。

インフラ整備は景気の状況などで増やしたり減らしたりするものではなく、毎年度少しずつでも着実に増やしていく長期計画のもとに実施すべきものでしょう。そうした将来展望があってこそ、民間側も安心してキャパを維持できるというものです。

経済の論理を進める第一歩は、建設国債から「投資国債」へ

むしろ、今、莫大なニーズがあるのに、他国に比べても十分な予算を回せない分野がありま す。財政法4条があるから、公共事業以外は無形資産であっても財源が赤字国債となって、財政規律のもとでは簡単に増やせない。

例えばどんな分野かというと、科学技術の振興や人材育成です。私は国防もそうだと思います。

科学技術の振興は知的財産を形成する支出ですが、基礎研究など国にしかできない財政支出は、こうした大事な無形資産を形成するためのものであるはずです。米国や中国に比べて、日本のこうした分野への国の支出は桁《けた》違いに少ないことが指摘されてきました。

教育や人的資本への投資もそうです。人材こそが国力の源泉。立派な資産です。

この分野でも、例えば日本は若年世代に対する財政支出の対GDP比が他国に比べて小さいことが問題視されています。

私は何も民間主導の経済を否定するものではありませんし、経済が民間の市場経済だけで回っていくのなら、それが理想であるのは言うまでもありません。

しかし、日本経済の長期停滞という現実をみると、本来、国にしかできない投資分野がある

のに、戦後に押し付けられた財政の論理が、この点で日本経済に目詰まりを起こしているように思えます。

一定の期間の間に収益を上げねばならない民間企業には、自ずと限界があります。国家が何のために存在しているのかというと、それは「国にしかできない役割がある」からです。

4章で詳しく述べますが、90年代に日本はグローバリズム勢力による経済占領を受けました。この思想的背景にあるのは、アジア通貨危機以降、財政にも金融にも「規律」を求めるIMF主導の「ワシントン・コンセンサス」でした。

何事も民間で、市場の論理で、という一種の〝洗脳〟が米国主導で世界的に進められたわけですが、考えてみれば、そこには、国家主導で事業をされるとグローバル企業が利権を得にくいという考えがあったのではないでしょうか。民活、規制緩和で狙ったのは、民間にやらせれば資本力で圧倒的に優位なグローバル資本が利得できるチャンスが広がると考えたからだったと思います。

これは、戦後から日本で一貫して続く財政の論理ともマッチします。

しかし、今ここで経済の論理を貫徹させるうえで必要なのは、短期的な採算性を度外視してでも、長期的な視野から投資を行える国家にその本来の役割を取り戻させるということではないでしょうか。

私は、まずその制約となっている財政法4条を早急に改正して、建設公債の対象を公共事業という実物だけでなく、将来に資産として残る価値を形成する財政支出へと拡大し、「投資国債」へと衣替えすることを一貫して主張し、参政党の政策にも盛り込んでいます。

前記の科学技術や人的資本といった無形資産が、ここに含まれます。

他の野党も、国民民主党などは「教育国債」を提唱していますが、それも投資国債に包摂されます。また、後述するように、今般話題となった国防費も「未来への投資」として「投資国債」の対象とすべきだと考えています。

次の一歩はバランスシート財政運営への公会計改革

ここで大事なことは、投資国債が〝資産を形成する投資の財源〟だということです。ならば、これは資産と負債とをバランスさせるバランスシートの考え方で発行すべきでしょう。家計でいえば、住宅ローンで調達されたお金は飲み食いなどで消えるのではなく、住宅という資産を残すものですし、民間企業が設備投資のために借り入れをしたり社債を発行するのも、設備という資産を残すものとして、正当化されています。

こうした借金は、それと見合いの資産があれば、つまり、バランスシートの辻褄《つじつま》が合っていれば、その範囲でＯＫ。国においても、この考え方を公共事業や出資金・貸付金よりもさらに拡大し、真に資産性のある投資に向けられるのであれば、バランスシートの発想で、投資国債による財政拡大を積極的に進めるべきです。

この投資国債の運営の基盤として望ましいのが、**発生主義による複式会計**です。

これは民間企業では当たり前で、多くの国の財政運営にも取り入れられているのですが、日本では国の会計や予算は、現金の出入りの時点で記帳する単式簿記の現金主義なのです。

実は、財務省が生理的に嫌がるものというのは、たくさんあります。

まず、自分たちの事務負担が増えるのが嫌。そして、面倒な調整をしなければいけなくなるのが嫌。会計的には、大福帳である、単年度主義の現金主義が一番簡単です。それだと年度の間に右から入ってきたお金を左に流すだけですから楽なのでしょう。

予算統制がしやすいというのも彼らの論理です。しかし、単式簿記では、いったん支出した予算が実際の経済活動と結びついていないので、無駄も発生しやすいとされています。

ちなみに、私が日本維新の会の衆議院議員だった頃、同党の議員が国の予算案を発生主義のバランスシートに基づく予算に置き換え、政府提出の予算案とは別に、これを国会に提出したことがありました。結果として兆円単位の歳出削減と国債発行額の縮減が実現した案になりました。

もちろん否決されましたが、国の予算を議員が提出するという前代未聞のことが起こりました。これこそ画期的な「政治主導」だったはずなのですが、なぜかほとんど報道されませんでした。こういうことこそ、国民には知ってほしいことなのですが……。

その後、分党で次世代の党に移った私たち議員は、予算要求の段階で各省庁から要求の細かい内訳を出させ、バランスシートで予算編成を進めていたのですが、残念ながら２０１４年の解散総選挙で、私も含め同党の議員はほぼ全員が落選し、国の大事な公会計改革は陽の目を見ないままとなっています。

財務官僚にバランスシートは作れないのかといえば、能力的には作れます。

各界からの要請に応えて、決算ベースでは２００３年度分から毎年度、「国の財務書類」として策定、公表されるようになりましたが、大事なことは、予算編成の段階からバランスシートで発生主義の考え方で予算を組むことではないかと思います。発生主義であれば、お金が動いた結果、どのようなものができるかというところで見ていけることになります。

英国では、複数年度の予算を国民経済計算ベース（価値が形成されたときに計上する発生主義）で策定し、これを毎年度、発生主義に基づく単年度予算と、これを現金主義に変換した予算を、ともに議決対象として国会で審議する方法が営まれてきました。しかも、歳出は資本的支出と経常的支出に分けられ、それぞれ別の取り扱いがされています。

民間企業は、経営そのものをバランスシートの発想で進めています。

これをしていない日本の財政は、言ってみれば、**会計責任者はいるけれど、財務部がない会社**のようなものでしょうか。

次の一歩は財政の「見える化」でメリハリの効いた積極財政

こうした公会計改革のうえに立って、この際、国の一般会計予算を「投資勘定」と「経常勘定」と「社会保障勘定」の三つに区分し、それぞれの財源と支出が結びついた形を示すことで、自分たちの税金や国債がどのような目的に使われているのかを国民に見えるようにすることを私は提案してきました。参政党の政策にも盛り込んでいます。

財務省は、特定の歳出と特定の歳入が結びつくことを嫌います。こうした結びつきは予算を硬直化させる。何事も統合運用が効率的だ。だから、予算全体を大福帳のどんぶり勘定にして、その中身の判断は自分たちの裁量に任せてくれ、と。そのほうが予算統制による権力を維持しやすいと考えているのでしょう。

でも、本当に彼らが増税で国民負担を増やす必要があると考えているのであれば、民主主義の世の中、消費増税が政治的に17年にわたってできなかったことを真剣に振り返るべきです。

まずは、国民が自ら「受益と負担の関係」を理解し、それなら負担が増えるのも仕方ないと納得できるための仕組みが必要なはず。

投資勘定とは……財源は投資国債で、ここではバランスシート管理を徹底します。支出は資産を形成する未来への投資。国債発行の制約はバランスシートの辻褄が合う範囲ということ。それなら、資産性のある投資のためにいくらでも国債を発行できるようになります。経済の論理で積極財政を実現する勘定が、投資勘定です。

社会保障勘定とは……社会保障給付に回る国の支出を経理する勘定で、財源は消費税収の全額、それで足りない分は赤字国債、この二つです。

いずれも政府の懐に入るのではなく、国民と国民の間で（世代と世代との間で）お金が移転する規模がここで示されます。

国民はこの勘定を見ることで、社会保障の受益と負担の関係、世代間の負担の公平はどうなっているのかを把握できます。消費税を本当に上げねばならないのかを、国民が納得ずくで判断できるようになります。

経常勘定とは……上記以外の政府の通常の活動に充てられる経費です。歳入は消費税以外の税収や税外収入、それで足りない分は赤字国債です。

政府の無駄遣いを徹底追及したり、行政のスリム化を進めたいなら、この経常勘定が対象でしょう。

真の「財務」省で民主主義と国家経営のインフラづくりを

こうして、それぞれの勘定がそれぞれ異なる論理で、国民の目にさらされながら運営されていくことで、参政党が掲げる参加型民主主義を財政民主主義の観点から実現することになります。これも重要な「民主主義のインフラ」だと私は考えます。

また、結果としてメリハリの効いた「機能する財政」と経済の論理が両立することになるので、国家の運営者である政治家にとっては「国家経営のインフラ」にもなり、これで政治は財務省の論理を超えることもできます。あとは政治家たちの腕の見せ所。

財務官僚にとっても、どんぶり勘定の切った張ったで要求官庁を睥睨《へいげい》し、政治家を手玉にとることが生きがいだという、その時だけの刹那的な「小さな幸せ」ではなく、バランスシート運営における資産性判定のプロフェッショナルとして、退官後も通用する能力を身に着けたほうが、もっと誇りある「大きな幸せ」につながるのではないでしょうか。

後述のように、大蔵省から財務省に名称が変わったのは決して良いことではありませんが、現状は財務省というよりも「経理省」。名称が財務省になった以上、せめて真の「財務」省へとバージョンアップしてほしいものです。

防衛財源については「守るべきは永続する国家」という意識を持て

ここで、今般話題となっている防衛費の財源について考えてみたいと思います。

岸田政権は、GDP比2%への引上げが決められた防衛費の一部を1兆円の増税で賄うことを決めましたが、そもそも国防とは、子孫に向けて「国家を永続させるための費用」ですので、これも投資国債の考え方を適用すべき分野だと思います。

将来世代に資産を残すのなら、それは将来世代にも裨益《ひえき》するのだから、国債によって受益と負担との関係で将来世代にも元利償還の負担を求めるのが公平で正しいというのが、もともと建設公債の考え方だったはずです。また、国防に必要な武器や装備を国内で調達すれば、民間にも技術開発を促し、イノベーションで新たな産業分野を興すなど、経済の論理にもかないます。

インターネットがそうだったように、米国では軍事技術の民生転用が経済を牽引してきました。まさに未来への投資。投資国債にふさわしい分野です。

この点で実に残念なのが、今回の防衛費の拡大を岸田総理が「要するに、戦闘機やミサイルを買うことだ」と言い切っていることです。

私たちの税金が米国の軍産複合体に貢《みつ》がれる？　2023年1月の日米首脳会談は、こうした利権と結びつくバイデン大統領を喜ばせるものでした。「岸田君、よくやった」と。その満面の笑みを忘れられません。

日本の防衛は自主防衛と日米同盟の二つの柱から成りますが、安倍元総理に近かったジャーナリストの山口敬之《やまぐちのりゆき》氏によると、もともと安倍氏は、もはや「核の傘」が通用せず、米国が日本を守り切ることをあてにできない厳しい客観情勢を踏まえて、自主防衛のほうを強化することを新安全保障戦略の中軸としていたそうです。

これを岸田氏は換骨奪胎《かんこつだったい》し、日本の対米依存を深めてしまった。防衛費の中身をもっと投資国債にふさわしいものにすることが課題だと思います。

防衛増税論の奇妙さは、「今の世代の人たちを守るための支出なのだから、今の世代の人たちが負担しなければならない」という考えでしょう。だから税金で賄うべきだとか、あるいは、仮に国債を発行したとしても今の世代で償還しましょうという考え方です。

これは、現在の仕組みでの財政の論理には即していますが、今の世代を守ることだけが、国家を守ることの全てではありません。その考えはまさに国家観が欠落した発想だと思います。

日本はすでに二千数百年続いてきた国家。辿《たど》れば遥かな祖先から連綿と続いてきた国家を、今われわれが受け継ぎ、そして子子孫孫に向けて未来永劫受け渡していくものです。

わが日本国を未来に向けて永続させるために必要なものは何か？　今、われわれが直面している問題は、まさに日本の主権が侵害されつつあり、主権を永久に奪われるかもしれないという危機です。

そして、チベットやウイグルのように、将来、土地も言葉も文化も、果ては命さえも失われるようなことになってしまうかもしれない。

この最も重要な主権を永遠に守るための国防なのですから、財源を国債とし、その償還期限を60年で区切るのではなく、永久国債とすることこそが最も理にかなっていると思います。

財務省の自己満足？の「60年償還ルール」を変えるだけで増税は不要に

永続する国家のための資金調達なのだから、本来は永久国債。これについては5章で詳しく述べますが、永久国債でなくても、せめて超長期国債という発想が必要でしょう。百年満期の国債でも良いかもしれません。

ただ、これは現在の60年償還ルールに反してしまいます。では、60年償還ルールのほうを変えてはどうか。増税反対論の立場から自民党内からも出てきたのが、この60年償還ルールを60年から引き延ばすという議論でした。

そもそも60年償還ルールとは、国債発行残高を減らす「減債制度」として営まれている仕組みです。減らすためには60年かけて、現存する国債をゼロにしましょうということです。たとえば10年満期の国債を発行すれば、その国債を10年後に全額税金で償還しようとしたら大増税しなければならないので、60年かけて少しずつ償還していく。

10年満期だったら、10年後に60分の10だけを税金で返し、60分の50は借換債《かりかえさい》という国債を発行して償還し、その借換債は同じことを10年ごとに5回繰り返して60年後には税金による償還で全部なくなるという仕組みです。

この考え方のもとで、毎年度の国の一般会計予算に計上されている国債費には、利払い費と債務償還費の2つがあり、利払い費のほうは毎年毎年国債の金利として支払うのですが、債務償還費のほうは、国債発行残高の60分の1ずつ、一般会計から国債整理基金特別会計に繰り入れています。これは、2023年度予算では16・8兆円です。

ただ、問題は、実際に60分の1ずつを税金で返せていないことです。財政がこんなに悪いので、税財源が全然足りないわけですから、実際は同じ額の国債を新規国債として毎年度発行して、それを財源にして60分の1の繰り入れが行われているのが現実です。

つまり、借換債を発行するのとまるで同じ構造なのです。他に借換債は毎年度、たくさん発行しているのに、これだけはあえて毎年度の一般会計で区分けして、わざわざそのために一般会計の新規国債発行額を増やしている。

昔、財務本省で国債担当の課長をしていた私の同期に、「意味ないじゃん」と、問いただしてみたことがあります。彼の答えはこうでした。

なぜわざわざこんな回りくどい手間のかかることをやっているかというと、「本当は税金で返さなければいけない借金なのに、税金では返せないから、その分また国債を余計に発行しているという異常な財政の姿を、毎年末の予算編成の際に予算案として国民に目に見える形で示すことによって、国民に今の財政状況の厳しさを認識してもらうためである」……。

でも、国の予算書を見て、「債務償還費がこんなにあって、これ国債に依存している。大変だ」と理解している一般国民など、おそらく一人もいないのではないでしょうか。

だからこれは要するに、財政当局の痩《や》せがまんというか自己満足みたいなもの。

ざっくり言って国債発行残高は1000兆円。その60分である1・6%が債務償還費になっているわけですが、たとえば、この60年償還ルールを仮に100年償還ルールに変えると、債務償還費は1000兆円×1%である10兆円になりますから、現在よりも6兆円以上、減ることになります。そうすればこれだけで増税などしなくても防衛費は十分に賄える。

増税こそが自分の使命だと変な心得をしている？　岸田総理は、防衛増税だけでは終わらないでしょう。たった1兆円では、増税という国民の耳に痛い政策を決断した政治家として後世に名を残すにしては不足。

子ども予算倍増など、消費増税につながる話でしょう。グリーントランスフォーメーション（GX）も、いずれは何かの形で国民負担につながる話。

私は「防衛、子ども予算、脱炭素」を「岸田増税3点セット」と呼んでいます。いずれも国民が反対しにくい大義名分を持つ、増税にとって絶好のテーマ。しかし、これらも前述のような形で60年償還ルールを見直すだけで、ほぼ増税が要らなくなるはずです。

ただ、償還期間を延ばすよりももっと簡単に財源を生み出す方法があります。それは、日本だけが未だに続けている「減債制度」そのものをやめてしまうこと。海外の国債の格付け機関の方が、「日本が60年償還ルールを撤廃しても、日本国債の格付けには何の影響もないと言っている」という話を聞いたことがあります。

これだけで、２０２３年度予算でいえば16・８兆円が、国の一般会計予算の歳出から消えます。その分は、国債整理基金が発行している借換債に上乗せすることになります。

この場合、一般会計の側では16・８兆円の新規国債発行額が要らなくなるので、選択肢は二つあることになります。一つは、歳出が16・８兆円要らなくなる分、歳入側で同額分の新規国債発行額を減らすこと。この場合、これによって国債発行残高は増えません。でも、これでは60年償還ルールをやめる意味はあまりないことになります。

もう一つは、新規国債発行額は減らさず、歳出の総額も変えず、歳出の側で、浮いた16・8兆円を別の歳出の増加に回すこと。

こうなれば、防衛費であれ、子育てであれ、脱炭素であれ、財源は容易に出てくることになります。減債制度をやめるだけで、毎年度の新規国債発行額を増やすことなく、国にとって必要な財政支出をこれだけ増やすことができるのですから、いいことづくめです。

日本は財政破綻しないということの意味

ここで論点となるのが、国債発行残高がこれによって従来よりも16・8兆円増えることをどう考えるかです。

2023年度予算では、この年度の国債発行総額は205・8兆円。うち新規国債発行額は35・6兆円に過ぎず、その他は財政投融資の原資に回る財投債が12兆円ありますが、実は、このほかに157・6兆円と、年間の国債発行額の大半を占めている国債があり、それが借換債。これに16・8兆円が上乗せされることになります。

増えてもこの程度。そもそも1000兆円も国債残高はあるのだし、一方で前述のように日本は世界最大の対外純資産国。

経済の論理からいえば全くOKと考えてもいいでしょう。

しかし、そうは考えない人たちがたくさんいます。財政破綻を心配する人たちです。これに対し、国債をどんなに増発しても大丈夫だと言う人たちは、こう主張します。日本はギリシャのような国とは異なり、自国の国債のほとんどが日本国内で保有されているので財政破綻しない、と。これはある意味で正しいでしょう。

一国全体でみれば、借金とは外国からの借金であり、国内での債権と債務は相殺されてしまいますし、世界最大の対外純資産国である日本は、債務国であるギリシャとは前提条件が全く異なります。

また、MMT（現代貨幣理論）が言っているように、自国通貨建てで国債を発行している国は、いざとなれば自ら通貨を発行すれば良いのだから、デフォルト（債務不履行）に陥ることはないというのも間違いではありません。ギリシャを始め、かつて欧州債務危機のときに財政状態が懸念された一部の欧州ユーロ諸国のように、自国通貨ではなく、ユーロ建てで国債を返済しなければならない国とも、日本は異なります。

ユーロ諸国にユーロ加盟の条件として厳しい財政健全性基準が課されているのはこのためです。

よく、日本の財政状態ではユーロにも入れないと言われますが、日本はユーロに入れてくれなくても円建てで借金できているのですから、こうした譬《たと》えは全く当たりません。

日本はデフォルトという意味での財政破綻が起こらない国です。

しかし、だからと言って、そういう日本なら国債を無尽蔵に増発してよいかといえば、必ずしもそうとは言えません。

一つは、前述のように、国内では国債を持っている層とそうでない一般国民との間での不公平を拡大するということがあります。

もう一つ、経済面で問題になるのは、日本のように莫大な国債を金融機関が抱えている状態で、将来、金利が大きく上がると、国債の価格が下がり、銀行の保有国債に評価損が発生することです。

そうなると、財務の健全性が損なわれた銀行は融資を増やしにくくなり、貸し渋り・貸しはがしに出て、経済全体にカネ詰まりが起きる可能性があります。

まさに、２０１０年代にギリシャの財政破綻を契機に起こった欧州債務危機がそうでした。日本でも起こり得る財政破綻とは、財政そのものよりも、こうした金融破綻、経済破綻のほうでしょう。

もう一つ、国債を無尽蔵に増やせない理由として、投機的に動く「金融市場の論理」があります。

彼らグローバル巨大資本の思惑で、国債の価格は簡単に暴落してしまいます。

海外ヘッジファンドなど、莫大な投資資金を持つ海外投資家がいざ仕掛けようと思えば、手元に現物の日本国債を全然持ってなくても、先物市場で空売りを仕掛けることができます。資金力に物を言わせて空売りを仕掛け、どんどん売り浴びせて値段が下がったところで現物を調達すれば、その差額でとてつもない利益を得られるわけです。

ですから、日本国債は外国人の保有割合が小さいから安心だという思い込みは危険なのです。現に、英国であっと言う間に首相の座を追われたリズ・トラスさんなども、完全にマーケットから狙い撃ちで襲われてしまいました。

もちろん、対外純資産残高が世界1位の日本は英国より遥かに防御壁は高いですし、だからこそ、経済の論理でお金を国内で回して日本経済を成長させることで国債への信認を維持することが大切なのですが、国債が歯止めなく増えていくという状況は、それが投げ売りの材料とされる可能性があることを忘れてはなりません。

彼らにとって重要なのは経済の論理よりも、自分だけの短期的な儲け。そのチャンスをどんな思惑で狙ってくるかわかりません。

結局、経済の論理が、財政の論理も日銀の論理も金融市場の論理をも乗り越えられるためには、国債の増加に歯止めをかける具体的な仕組みを、税金による国債償還以外の方法で組み立てるしかありません。

それが松田プランです。これは日本に新たなデジタル基盤を構築することと一体のプランなので、5章でまとめてお話しすることにします。

4章

「失われた30年」の真犯人は〝カイカク真理教〟だった

グローバリズムに「占領」された日本経済

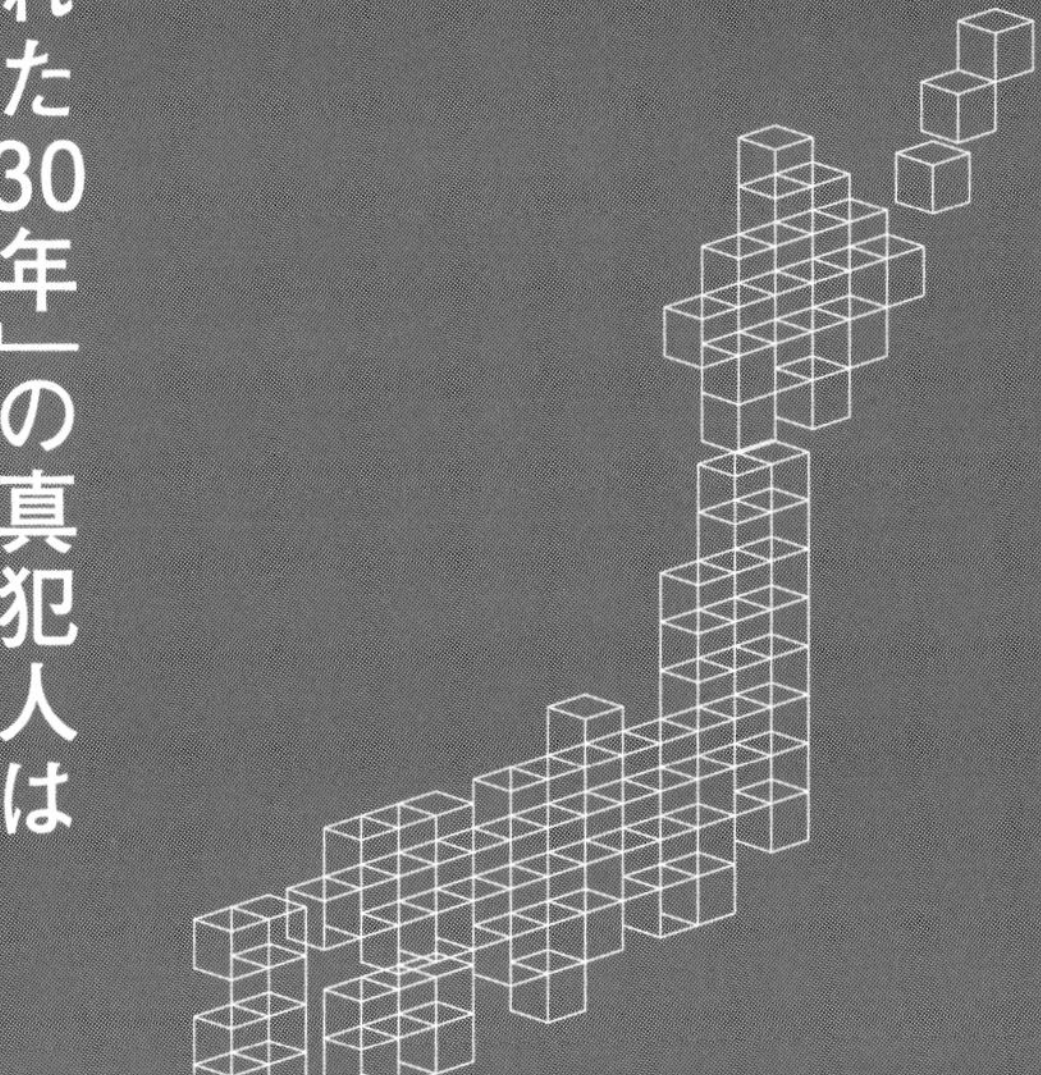

こんな日本に誰がした？　経済成長率が、世界でほぼ最下位とは

日本経済は今、残念なことに世界の中でほぼ唯一、経済成長を止めてしまった国であるかのようです。

この30年、名目GDPは米国は4・2倍、ドイツは2・9倍、中国は64・8倍となりましたが、日本はたった1・2倍（いずれも自国通貨建）。

実質賃金に至っては、1997年を100とすると、2016年時点で米国は115・3、ドイツは116・3、スウェーデンは138・4なのに対し、日本はなんと89・7にまで下がっていたという統計もあります。

本章では、こうした日本経済停滞の原因を具体的な事象から解き明かしたいと思います。

デフレのきっかけになったのは、1997年に相次いだ証券会社と銀行の破綻です。

デフレの原因として、しばしば、97年4月に3％から5％に引き上げられた消費税の増税が取りざたされますが、実はそれは大嘘です。この年の4月に消費税が上がり、直後の4―6月期のGDPこそマイナスでしたが、7―9月期には巡行速度のプラス成長に戻っています。消費税増税による悪影響はわずか1四半期だけで終わっていました。

問題は消費税ではなく、この年の7月頃に始まったアジア通貨危機でもありません。

その後、GDPの伸びがマイナスに大きく転じたのが10―12月期です。そして翌98年まで上がり続けていた消費者物価もマイナスに転じ、デフレが始まりました。

では、97年10―12月期に何が起こったかというと、11月3日にまず三洋《さんよう》証券が破綻しました。バブル絶頂期には証券業界の風雲児と呼ばれた会社です。そして11月15日には北海道拓《たく》殖《しょく》銀行が、さらに翌週の24日には山一《やまいち》証券が自主廃業を発表しました。そして金融市場が金詰まりになりました。

私は当時、これを「信用の喪失」と表現していました。

資本主義経済の血流である金融は信用あってこそ回るもの。それが失われたことが、その後のデフレ経済の真因でした。

たとえば都市銀行の一角だった北海道拓殖銀行は、それまで大蔵省が「大手銀行は一行たりとも潰《つぶ》さない」としていたにもかかわらず破綻しました。もちろん、資産内容がそれほど良かったわけではありませんでしたが、財務状態から見て、破綻するほどではなかったと聞いています。

それが、皆さんが疑心暗鬼になったことで、金融市場からお金を調達できなくなり、いわば資金繰りが行き詰まって破綻したのが実態だそうです。

風評で信用をなくせば大手銀行すら破綻してしまう。そこに至った当時の状況を、私が覚えている範囲でご説明しておきましょう。

大蔵省が金融機関を見捨てた日

従来大蔵省は、破綻しそうな金融機関については、破綻しないようにさまざまな救済策を講じていました。

当時の大蔵省証券局長のN氏は、三洋証券が破綻の危機に見舞われた際に、いつものように救済策を作成して当時のK事務次官のところに持っていきました。しかし、このときの次官の答は「ダメだ」。理由は救済策が妥当性を欠いていたからではありません。

当時の大蔵省は、「財政金融分離」を政治的に迫られていて、組織として大変な状況でした。そんな中で、破綻しそうな証券会社を助けたりすると、また「護送船団だ。甘すぎる」と言われ、さらに財政金融分離の圧力に火をつけかねなかった。省全体の立場からは無理だという判断だったと聞いています。

これを受けてN証券局長は、記者会見で「経営内容が悪いことを市場がとがめた結果破綻するのは当然のことだ」と言い切りました。

私の友人で現在は言論NPOの代表をしている工藤泰志《くどうやすし》氏は、当時は東洋経済に属していて、この会見でこの言葉を聞いて大変驚き、今まで大蔵省が言っていたことからは説明がつかないではないかと、思わず質問をしたそうです。

そして、ついにそういう時代になったのか、という認識が衝撃的に広まったわけです。これは大きなパラダイムチェンジでした。

金融市場は行政への不信感を強め、もはや大蔵省が破綻から守ることがなくなった金融機関の信用も崩れました。その結果、次から次へとカネ詰まりが起こり、金融機関の破綻の連鎖が始まり、ついに98年には日本長期信用銀行が破綻。見事に外資に買収されるという事態になりました。

カネ詰まり状態は当然、資産デフレを加速します。もちろん、それ以前のバブル崩壊の時点から資産デフレは続いていました。

土地や株といった資産の価格が下がると、バランスシート上、債務超過になりますから、各企業は借金の返済に追われます。

資産デフレで貸出先の担保価値が下がると、銀行も不良債権を抱えることで資産が傷つくことになるため、融資を増やせなくなり、逆に、貸し剥《は》がしに出ます。カネ詰まりが加速します。

経済全体が借金返済に走ると、借金返済は国民経済計算では貯蓄の増加になりますから、それに見合う投資の増加がなければ、貯蓄と投資が事後的にバランスする水準に国民所得の水準が決まるという経済の生理現象が働きますので、貯蓄全体が投資と見合うところまで下がるように所得が下がり、経済が収縮することになります。

バブル崩壊後は、政府が何度も大型の経済対策を打って、実体経済のほうは持ち直していたのですが、97年の大手金融機関破綻後の不況（これを私は「平成大不況」と呼んでおりました）のもとでは、政府がいくら財政支出を拡大して公共事業を増やしても、砂漠に水を撒くが如く、経済はまったく持ち上がりませんでした。

資産価格の下落を伴うデフレの厳しさを、当時、大蔵省でマクロ経済を担当していた私は痛感していました。

正義と規律が経済の論理を壊す

あの時から「銀行の財務は健全化しなければいけない」が錦《にしき》の御旗《みはた》になりましたが、その方法は本来、2つあります。

1つは、「資産（不動産価格など）は今下がっていても、10年、20年経てばいずれ上がってくるのだから、資産をホールドしておき、引当て金を積んでおく。そのために引当て金を無税にしておけば、なんとか復活の時まで我慢していられる」という考え方です。

これを間接償却と言い、当時の大蔵省のナショナリスト派が考えていたことでした。

これに対し、実際に採られたのはもう1つの方法である直接償却で、これは、不良債権となった資産は直ちに売却して、銀行は身軽になれという考え方です。

政府で構造改革を進めたT氏などは、「銀行はみんな身ぎれいにしろ。持っている不良資産は全部売却だ」という立場だったと思います。

しかし、庭先を綺麗にするのはいいのですが、銀行のポートフォリオ（資産構成）というのは、実はその銀行そのもの、大手銀行の場合は日本経済そのものです。これを投げ売るということは、経済そのものを手放せと言っているのと同じことでもあります。

経済にとって規律は大事ですが、危機の時に規律の発想を持ち込み過ぎると、経済そのものを壊しかねないのは、3章までにも色々と見てきた通りです。

その事例として、日本のバブル期にバブル潰しに加担した「戦犯者」だとされている、三重《みえ》野《の》康《やすし》日銀総裁による金利引き上げがよく挙げられています。

中央銀行の政府からの独立性と、バブル退治という正義を掲げ、「平成の鬼平《おにへい》」ともてはやされていた日銀総裁でしたが、その正義ヅラ？　の政策のおかげで、その後「失われた10年」が始まったと言われました。

当時、バブル潰しに大きな役割を果たしたのは大蔵省もそうでした。こちらは銀行に対する土地融資規制です。これによって地価は急速に下落に向かいます。これは、バブルによる地価高騰で庶民が住宅を買えなくなっているという政治サイドからの要請を受けたものだったのですが、これも一種の正義のための措置でした。

もちろん、バブル自体はいずれ崩壊します。それによる経済への打撃が長期にわたることは日本が経験した通りです。なので、バブルを放置するわけにはいきませんが、大事なのはどうソフトランディングさせるか。

当時の日本の失敗がその後、各国の政策当局では研究対象になっています。

金融危機で経営難に陥った金融機関に対する公的資金の注入も、そのずさんな経営を血税で尻ぬぐいするのはけしからんという議論が先行し、なかなか決断できなかったことが危機を大きくしました。

その事例として住専《じゅうせん》（住宅金融専門会社：住宅ローン専門のノンバンク）問題の解決のための6850億円の公的資金注入の話がありました。その時は、バブルに乗じて乱脈融資をした住専の経営者を救済するのかと、マスコミに誘導された世論が盛り上がり、反対一色になったのですが、これは住専を救済するのが趣旨ではなく、住専を円滑に破綻させるために、住専に融資していた金融機関の預金者を保護するためのものでした。

そもそもバブル崩壊の直後から、当時の宮澤総理は金融機関への公的資金の注入こそが問題解決になることをご存知でした。しかし、経営者の責任論という感情論が先行し、政府はこれをなかなか決断できないでいたわけです。

その間に、不良債権はどんどん膨らんでいきました。当然、その分、その処理にかかる国民経済的なコストも大きくなります。

住専問題は6850億円の断行で落ち着いたのですが、結局は住専の数年後に、長銀《ちょうぎん》（日本長期信用銀行）の破綻に際して、たしか70兆円もの公的資金を政府は用意することになります。住専の100倍以上ですから。あれ？　あのときの住専の話はどうなったの？　そのとき私は、もっと早く決断していれば……と思ったものです。

インフレ時代からデフレ時代へのパラダイム転換

ちなみに、前述の日銀の政府からの独立性について解説を加えますと、日銀の人と長年お付き合いしてきた経験からいえば、このことには想像以上にこだわりがあるようです。

自分たちは大蔵省の配下にあるわけではないという屈折した感情にもなっていて、そこで過度に、大蔵省や政府から独立した組織であることを演出したがる傾向なきにしもあらず。

そもそも、モノが不足している時代は、需要が拡大するとインフレになり、そのつど中央銀行が金融引き締めを実施してインフレを抑えることが政策の中軸に置かれました。

財政が規律を失うとマネーが過剰になってインフレになる。だから財政規律と日銀の独立性が強く求められたわけです。

しかし、こうしたインフレパラダイムから局面は変わりました。

今でこそ石油価格、エネルギー価格が上がってインフレになっており、世界がブロック化で分断されていく流れのことを考えれば、中期的にはその傾向が続くかもしれません。ただ、より超長期の長い目で見れば、人工知能（ＡＩ）やロボット革命により今後生産力は圧倒的に増大していきます。

かつて生産性を画期的に高めた技術革新は、フォードの大量生産方式がそうであったように、同時に雇用を増やし、賃金を通じて購買力のほうも拡大させました。ところが、ＡＩもロボットも消費をしてくれません。

需要の拡大を伴わない生産性の拡大が続く世の中になることで、世界は「ハイパーデフレ」の時代に突入すると予測する経済学者もいます。

経済政策の恒常的な課題はインフレ抑制ではなく、いかに需要を拡大して購買力を生み出すかになっていきます。経済政策の一大パラダイムシフトが起こりつつあります。

財務省は「ハイパーインフレ」の懸念を指摘しますが、それは歴史的にみれば、大戦争のあとの極端な生産力不足、物資不足の中で起こっていたものです。逆に、人類社会はいずれ、極端な生産力過剰に向き合う時代を経験することになる。

私の政策提案は、こうした超長期の視点を見据えて構築しております。

すでに日銀は政府と一体となってマネーを増やす役割を果たす時代になっています。政府からの独立性のことを過度に問題視する古いパラダイムから多くの人々が脱却することを願うものです。

デフレマインドを反転させる将来への「期待」こそが経済の論理

本当に奈落の底に落ちたことに気づいた時、ようやく日本のマーケットというか日本人はやらなければいけないという決断をしたのですが、いささか遅すぎたかもしれません。

もちろん経営者の責任は問わなければならない、それは事実ですが、それ以前に、銀行が破綻して経済が回らなくなったらさらに悪影響が社会全体に広がるはずです。

その優先順位を見極めることのほうがはるかに重要だったはずです。

金融危機が収束したのは、ようやく2003年に、りそな銀行に公的資金が注入されてからでした。その後、日本経済は海外経済の成長に依存する形でゆるやかな成長を続けることになります。ただ、国内需要は低迷を続け、日本経済は、成長する海外経済と結びついたグローバル部門（主として輸出産業の大企業など）と、国内の内需に依存するドメスティック部門（サービス産業、地方、中小零細など）に分断されることになりました。

それは、前者のプラス成長が後者のマイナス成長を若干上回ることで、経済全体としてはなんとか成長する姿でした。日本は自らの内需で成長する力を失い続けていたわけです。

このことが露呈したのが２００８年のリーマンショックでした。

これは証券化されたサブプライムローンが引き起こした金融破綻が起こした世界的な不況でしたが、こうした金融商品とは縁の薄かった日本の金融はあまり傷つかなかったのに対し、日本の実体経済のほうは、内需の落ち込み方が他の先進国よりも顕著に大きなものとなりました。

これは外需依存で成長するしかない、自らは痩せ細った日本経済の姿が裸になったものといえます。

長らく続くデフレが人々にデフレマインドを根付かせ、これがまたデフレを長引かせていたわけです。売上価格は上がらないし、賃金も上がらない……それが人々の頭の中にしみ込むと、まさに「思考は現実化する」。

景気は「気」であるように、経済とは人々の心理なのだというのは誠にその通りで、日本経済は国民も企業も「将来についての悲観的想定への過剰適用」状態に陥り、これが内需を停滞させ続けています。

こうしたデフレマインドを払拭するためには、明るい未来に向けたストーリーを描かねばなりません。それこそが政治の役割。

私はかねてから、小泉総理の「改革なくして成長なし」、第一次安倍政権のときの安倍総理の「成長なくして未来なし」を超えて、「未来を描かずして改革も成長もなし」を唱えてきました。これこそが最も重要な経済政策。

リーマンショックで再び落ち込んだ日本経済は、その後、アベノミクスで元気を取り戻しそうになったところを２０１４年の消費増税で頭を押さえられます。

２００７年の同じ３％の税率引上げでも何ともなかったドイツ経済と比べると、日本経済がいかにデフレ体質から脱し切っていなかったかを示すのが、この消費増税後の経済の落ち込みでした。

そして２０２０年からはコロナによる景気停滞、今はそこから脱して人々のマインドを持ち上げなければならない局面です。

こんなときに、未来への明るいストーリーなきまま、やれ増税だのインボイスだの社会保険料の引上げだのといった悪材料を持ち出すことは、まさに経済の論理に反する事態。論理の優先順位を、政治としてきちんと考えましょう。

日本の資産デフレ➡外資による買収も、ワシントン・コンセンサスの筋書き通り

１９９８年ごろに話を戻しますと、その時期から金融機関は不良債権処理のため、大幅に体力を奪われました。前述のように、日本経済では不良債権の処理で借金を減らす作業となり、

企業も金融機関もバランシートを縮小させることとなったのですが、これはマクロ経済全体から見ると、経済規模の縮小です。

借金返済とは、そのまま経済の縮小を意味します。そして、借金を拡大すれば経済も拡大します。資本主義経済の本質とは、まさに信用創造に基づく借金です。

こうして日本経済全体がシュリンクし、デフレになっていく中で、これに追い打ちをかけたのが「構造改革」でした。

構造改革とは本来、生産性の低下した分野から、ヒト、モノ、カネを生産性の高い分野に移すことを意味する改革です。ところが、生産性の高い分野を生み出すプラスサムの「組み立てる改革」がないままに、「雇用と設備と債務の三つの過剰」の削減という「壊す改革」だけがどんどん進められていきます。

これはウォール街にとっては「日本を買収しやすい環境」が整えられることを意味します。日本に根付いた独自の価値を守ろうとしても、それは「抵抗勢力」としてレッテルが貼られ、グローバル資本にとってひときわ御《ぎょ》しやすい体制づくりがされていったわけです。

これによって、日本人が懸命に働いても海外に富が流れていく構造が強められました。

金融危機のころの日本の大きな政治テーマは「大蔵省問題」でした。

これは、冷戦体制崩壊後の米国の世界戦略と密接に関わっています。もはや仮想敵がソ連ではなくなり、90年代は米国の一極支配の世界秩序が現出したわけですが、この時に米国の目についたのが、バブルの絶頂期には世界の株式時価総額で10位以内に日本の銀行がずらりと並び、ロックフェラーセンターまで買収せんとした日本の金融力でした。ソ連なきあと、日本の地政学的な戦略的価値も低下している。米国の仮想敵は今度は日本……？

とまではいかないにせよ、当時の米国は、世界の資金循環のセンターとなって、各国の貯蓄を自らマネージすることで莫大な利益を得ることを基本戦略とするようになっていました。

その中で勤勉な国民性で莫大な貯蓄、金融資産を築き上げている日本は美味しい‼

私は、90年代に米国が進めようとしたのが「第二の経済占領」だと表現しています。

第一の経済占領は言うまでもなくGHQによるもので、それは財閥解体、農地解放、内務省解体の三点セットでした。

第二の経済占領でそれに相当するのが、株式持ち合いの解消、金融資本市場の開放、そして大蔵省解体でした。

そこでウォール街と米国政府は、日本の莫大な貯蓄をマネージするために金融資本市場に風穴を開けるべく「大蔵省解体」を仕掛けます。

あの「ノーパンしゃぶしゃぶ事件」も、その流れの中での世論操作でした。

こうしたウォール街発の陰謀にまんまと乗せられたのが日本のマスコミであり、政治であり、究極的には捜査当局までが動くことになりました。

日本の金融資本市場にナショナルフラッグを立てる大蔵省の解体は、かなり緻密な計画で進められてきたようです。米国勢は異常なまでに、金融機関に対する大蔵省の「護送船団方式」の行政のあり方と、業界との癒着に焦点を当てた対日批判キャンペーンを展開していました。

そして、米国のゴールには、日本の官僚機構の解体もありました。

なぜなら、日本で1番強いのは官僚機構だったからです。

日本を弱体化し、しゃぶりつくす上で最も邪魔な抵抗勢力、目の上のタンコブみたいなものが官僚機構でした。

国際社会では「陰謀」は当たり前、グローバリズム勢力が仕掛ける戦略

米国は常に、自国の国益のためなら世界中のいろいろな国の体制を自国の都合のいいように変える戦略を官民一体で行使する国です。

それはその国の世論や国際世論まで動かして遂行されます。

現在では、プーチンを悪者に仕立て、プーチンが国有化した資源の利権をエリツィン時代のように取り戻し、軍産共同体の利益をも図るために仕掛けられたウクライナ戦争もそうです。

私は日本の金融危機の当時、大蔵省にいて、あー、日本は見事なまでにやられているな、と

いうことが見えてしまっていました。「陰謀論」でもなんでもない、これが現実でした。

こうした「陰謀」の例としては、1997年に米国が官民一体で遂行したアジア通貨危機も挙げられるところです。

成長するアジア地域は欧州の経済的進出が拡大していた地域でした。そのアジア各国からヘッジファンド勢が短期資金を引き揚げたところから危機は始まりました。

これは99年からのユーロ導入を前に、この地域が米ドル経済圏であることを明確にしようとしたグローバル資本が米国政府と連携して動いたものとされています。

短期資金の流出で窮地に陥ったアジア各国経済は次々と、米国と連携したIMF（国際通貨基金）の管理のもとに置かれることになり、経済の立て直しのために財政と金融に厳しい規律が課されます。ここで実行されたのが「ワシントン・コンセンサス」でした。

これは、米国政府とIMFと世界銀行といったワシントンに本拠を置く機関の間で1990年前後に成立した考え方で、財政規律の回復や規制緩和・民営化の推進などを柱とする、市場志向の強い、新自由主義的な政策パッケージのことを意味します。

各国の国家主権をグローバル市場の規律の支配下に置くことで、金融を中心にグローバリズムの経済利権を拡大する当時の米国の国家戦略が演出したのがアジア通貨危機でした。

それまで国際金融の世界では、日本の大蔵省も邦銀への行政指導で、危機を起こしそうな国に対する貸し付けなどの債権を維持するよう働きかけ、債務危機を回避する役割を担っていたものです。私も大蔵省の国際金融局でこの仕事を担当していたことがあります。

しかし、アジア通貨危機のときの大蔵省は、金融機関に対する行政指導は不透明な癒着であると米国から強く指弾されていて、こうした行政指導を発動できませんでした。その代わりに米国財務省が米銀に行政指導で働きかけ、韓国経済を救済することで韓国に対する米国の影響力を拡大したと言われたものです。

米国が言うのはあくまで建前。それをそのままバカ正直に信じて自国の国益を失ってきたのが日本。

構造改革と同じ構図です。

グローバリズムと向き合う国家意識こそが経済的な繁栄の源

ここでグローバリズムについて簡単に触れてみますと、それは現象として世界で進むグローバリゼーションとは異なり、一つの「イズム」、考え方です。

表向きは自由や民主主義を掲げながらも、実際は金銭的な利益のために、各国の独自性も国民性や文化も、国家主権や民主主義も抑圧して世界を同質化していく行動様式といえるでしょう。

それは時に、正義の仮面をつけながら特定のルールや思想を強制し、それに反するものは排除するという不寛容な全体主義にも結びつくものです。

参政党は「グローバリズム全体主義」こそが国民にとっての真の敵であるとして、これに対抗する「自由社会を守る国民国家」を新しい政治の軸として掲げてきています。

ただ、グローバリズムの推進役である巨大資本の圧倒的な力を完全に制圧することなど現実には不可能です。大事なことは、これに飲み込まれて搾取される一方ということにならないよう、これとうまく折り合いをつけていくこと。できることならば、グローバルな力を手なずけて自らの利益のために主体的に活用したいものです。

ただ反グローバリズムを掲げるだけでは、相手は強すぎます。

大事なのは、こちら側が確固とした国家の軸を持つことです。実は、こうした国家意識というものは、自国の経済的繁栄の上でも欠かせない要素なのです。

メディアを通じた世論工作により、権力が集中しすぎて腐敗した大蔵省というイメージが蔓延してしまった日本国民は気付きようもなかったと思いますが、財政と金融の分離を通じて遂行された大蔵省の解体とは、グローバリズム勢力の利権のためになされた日本国家の解体という側面がなきにしもあらず。それを象徴するのが大蔵省の省名変更でした。

雄略《ゆうりゃく》天皇以来1400年もの長きにわたって一つの官庁名が連綿と続いてきた事例は、世界広しといえど類例がないでしょう。しかも「おおくら」は律令制度以来、唯一のやまと言葉の官庁名。

言霊《ことだま》を大切にするはずの日本人がなぜ、こんなことを許したのか。

米国の「国務省」(13の州で英国から独立した際に州の間の調整を司る役所だった国務省が外交を担うようになっても、「外務省」に変更していない)も、ドイツでの外務省のドイツ語での呼び名(ドイツの民主主義の発祥とされるワイマール共和国当時の外務省の呼び名)もそうですが、多くの国では自国の建国の由来を象徴する官庁名は変えないものです。

日本は米独と比較にならない、世界一長い歴史と伝統を誇る国。大蔵省という名称自体が、子々孫々に引き継いでいくべき国としての大事な資産だったと思います。

省名の変更には何ら機能面での理屈はありませんでした。

たとえ時の大蔵官僚が腐敗していたとしても、国家の伝統を表わす名称を米国財務省の支店の如き名称にいとも簡単に変えてしまったことに国民から大きな反論が出なかった。このことに私は日本人の国家意識の喪失現象を強く感じたものです。戦後のGHQによる洗脳がここまで来ていたとは……。

国家意識なき経済は発展しません。以下、成長を忘れた日本経済の物語をもう少し続けますが、その随所に、このことを示す素材を見出していただけるものと思います。

市場規律至上主義の「カイカク真理教」が日本経済を衰退させてきた

「ナショナリズムとグローバリズム」の対立図式というのは、ずっと以前からありまして、かつての大蔵省の主流派の人たちは、基本的にナショナリストだったと思います。その中にはスキャンダル謀略を仕掛けられて消された方が多かったことを想起します。

郵政民営化など、日本の貯蓄を手に入れたいウォール街の陰謀そのものでしたが、これに反対した多くの国士が、政界でも葬り去られました。

この郵政民営化も理屈のないものでしたが、あたかもこれが行政改革であるかのように多くの日本人が信じ込まされました。

それぞれの国にはその国の国柄や国民性に応じた物事の進め方というものがあります。特に歴史の長い国はそうです。これを、グローバルに共通な市場規律を至上の原理として解体していくと、グローバリズム利権は繁栄しますが、解体された側は何もかもむしり取られるのが通例です。

もちろん、時代の変化に合わせて変革していくことは必要でしょう。

大事なことは、これを自ら主体的に成し遂げていくことであり、その際に失ってはならないものを失わないようにするために必要なのは自立自尊の精神。それが最終的に依拠するものが国家意識である。それを戦後の日本は見事に忘れ去ったのだと思います。

大蔵省解体の過程では、接待疑惑で同省から逮捕者まで出てしまいましたが、以降、それまでの日本の伝統でもあった、「官が中心となってスクラムを組みながら国力を強めてきた」流れが終わりを告げました。

それを象徴するのが公務員の接待禁止でした。

接待そのものをあえて正当化するものではありませんが、古代ギリシャ語では、シン＝ともに、ポジス＝飲む、が合わさったのが「シンポジオン」。つまりプラトンの「饗宴」であり、これが「シンポジウム」の語源になったように、ともに酒を飲めば良き知恵が生まれるというのは古今東西、人類共通の真理です。

素直な日本人は、透明かつ公正であるために官と民が距離を置かねばならないとの「規律」こそグローバル時代に求められるものと信じ、接待の禁止どころか、官と民が本音で情報を共有できる場まで「いけないこと」としてしまいました。

しかし、本物の情報というのは相手の人間を見ながら、この人ならここまで話していいという範囲で共有されるものです。それが人間というもの。

欧米人の場合は基本的にはパーティ文化であり、何年物のどのワインを出すかで取れる情報も変わってくるというのが常識。週末の別荘もあるそうです。

住宅事情が異なる日本の場合、酒食の場がどうしても料亭や割烹などになってしまっていた。交際費のない公務員ができるだけ多くの民間の考え方や情報に触れるためには、接待に応じざるを得なかったという面は否定できません。

米国ではプロフェッショナル人材が官民学などの間でポジションを変えながら、それぞれの分野を追求していく間に、非公式ベースでのコミュニティが形成され、情報の共有や戦略の形成が人間的な信頼関係の中でなされているようです。終身雇用の日本の場合、それは困難であり、組織と組織の間の関係の中で人間関係を築いていくしかありません。

私は、もはや官僚主導の世の中が成り立たなくなったからには、官民各界が組織を超えて人間的な信頼関係で結ばれる、新たな日本型の戦略司令塔を創るしかないと考えました。今までのやり方を壊すなら、それに代わるものを組み立てなければならないはず。

その軸となるのが国家であり、各分野が追求する国益だろうと考えたわけです。

これはガチガチに規律で縛られるようになった財務省の役人では無理だと考え、政界をめざした次第です。

いずれにしても、接待禁止以降、官と民との間の緊密な情報共有がなされなくなったことが、日本の強みの一つを失わせたのは事実です。

もう一つ、市場規律一辺倒の「構造改革」がもたらした日本潰しの例としては、株式持合制度の解消があります。

かつて日本企業は、株式はお互い持ち合いをやって長期的な協力関係を築き、日本経済をがっちり守ってきたわけですが、株は市場に放出せよ。結果として外国勢が買収しやすい経済になりました。

企業は外国人投資家のほうを向くようになり、かつては、利益が出れば最初は給与に、配当は最後という経営から、最初に配当、給与は最後に、という経営に変わりました。

これも日本の富が海外に収奪される構造です。

融資形態もそうです。かつては銀行が短期で貸して転がし、実質的には資本に近い長期融資となっていたことが融資先企業の財務を安定させていたのですが、これも実質的には長期融資だ、必要な対応をしろ、とされて引き揚げを余儀なくされ、企業の体力を弱めることになりました。

ことほど左様に、日本経済の柔軟な強さを、色々な大義名分のもとにどんどん突き崩してきたというのが、新自由主義がもたらした「カイカク真理教」だったといえます。

グローバリズムとは「今だけ、金だけ、自分だけ」

「今だけ、金だけ、自分だけ」…この言葉は、東京大学の農業経済学者・鈴木《すずき》宣弘《のぶひろ》氏が『食の革命』（文春新書）という本の中で定着させた言葉ですが、実に言いえて妙、グローバリズムの本質を突いている言葉だと思います。

これとは真逆なのが、日本が営んできた国柄や国民性です。

ところが、「国は余計なことをするな、民間が金儲けするのが一番なんだ」と言わんばかりに、「官から民へ」が正義とされてきました。

人間にも社会にも目先の金儲けよりももっと大事なことがあるはずなのに、目の前の利益、今期の利益を上げていない奴には何も言う資格なし。これは一見わかりやすく、かっこいいからか、そんな風潮に日本人も毒されてきたように思います。

グローバル勢力の行動原理とは、要するに経済的利益。「彼らが掲げる自由・平等とは、そのための偽善に過ぎない」……戦時中の日本には、こう喝破し、それでは人間は存在できなくなるとして欧米の表層的な原理の限界を指摘し、日本国こそが、それよりも高い次元の精神性や倫理性、知性を有する国であることを論じていた知識人たちがいました。

そんな矜持《きょうじ》はどこに飛んでいったのか、今では多くの日本人が「今だけ、金だけ、自分だけ」に染め上げられてしまっているように思います。

グローバリストは海外勢に限りません。日本人でもグローバリズムの洗脳で、その手先になった人々もグローバリストです。

ここでグローバリストの論理の基本について述べてみたいと思います。それは世界を同質化することです。グローバリストたちの知的な本拠である米国の外交問題評議会（ＣＦＲ：Council on Foreign Relations）の基本思想は、それぞれが独自であり異質であるはずの各国の国家主権を否定して、世界政府を樹立することだと言われています。

異質なものがあれば「お前たちは異質だ」と言って、マーケットの論理に単一化していくのですが、その過程で大きな利益が生み出されるわけです。

そもそも資本主義には、差異性の存在を見出し、その差異性をなくす過程で利益を上げるという本性があります。

たとえば、インドではコショウが安く、ヨーロッパでは高かったなら、インドで安く仕入れ、ヨーロッパで売れば差益が出ます。安く仕入れて高く売る。かつて、これが重商主義となって資本蓄積が起こり、それが資本主義へとつながっていった通りです。

日本経済がピークをつけたのは、まだバブルが終わっていなかった１９９０年頃でした。その頃からずっと沈んでいったのですが、その前年に世界では大きな局面変化が起こっていました。

日本はこの変化に適応できませんでした。それだけでなく、新たな潮流を自らのビジネスモデルのイノベーションへと徹底活用したのが米国を中心とするグローバリズム勢力であり、彼らに翻弄される時代に日本は入っていったわけです。

90年代からの世界の潮流の中でグローバリズムが手掛けたビジネスモデル

では、ちょうど日本では平成元年にあたる1989年に世界では何が起こっていたか。

それはベルリンの壁が11月に崩壊し、12月の米ソ首脳によるマルタ会談で44年続いた東西冷戦が終結した年でした。ここから次の三つの潮流が世界に生まれます。

第一に、**グローバリゼーション**です。

冷戦体制の崩壊で、それまでの社会主義圏、共産圏という、市場経済とは全く違う異質な世界が市場経済に取り込まれ、これを同質化していく過程が開始されました。ここから莫大な利益を得るビジネスチャンスが生まれます。

第二に、**IT化**です。

情報技術の発展はグローバリゼーションの流れに乗って、企業の生産プロセスを国境を超えて分散させ、これをネットワークで結ぶビジネスモデルを世界的に定着させます。いわゆる「世界最適地生産」です。

これにより、世界は究極の価格引き下げ競争に突入しました。中国であろうがどこであろうが、それぞれの生産プロセスに応じて最もコストが安いところで作り、これをサプライチェーンで結ぶわけです。産業をフルセットでそろえ、国家どうしが競争するという、それまでの「国民経済」の概念は崩壊に向かいます。

そこでは国家は無関係。付加価値生産を世界中から引き寄せられる都市集積や産業クラスターをいかに築くかが一国経済の盛衰を決めるようになり、グローバル勢力が国境を超えて利益最大化のチャンスを活かそうとする「世界大競争」の時代に突入します。

これは、これまでの国と国との間、企業と企業との間の国際分業ではなく、企業の内部での分業の時代に入ったことを意味します。

日本企業も争うように生産拠点を中国に移していき、アウトソーシングという言葉がもてはやされ、分社化が進んだわけです。これは同時に、それまでの日本の強みであった生産現場での「すり合わせ」型モデルが通用しなくなり、世界中からの「寄せ集め」型が利益をあげる時代に移ったことを意味します。

第三に、**金融主導**です。

これは金融が世界中の差異を見つけて利益を上げる構造です。たとえば、資本効率の悪い企業や設備をハゲタカファンドが買い、資本利益率の他との差異をなくすところまで合理化を進めるなどして資本効率を高め、売却して儲けるというビジネスモデルが分かりやすいでしょう。

これは前述の90年代の米国の世界戦略にマッチするもので、同じ資本主義の中でも異質性の強い日本は格好の餌食となりました。

故ゴルバチョフ氏が言ったように、日本は『戦後、世界で最も成功した社会主義』でしたから、市場原理主義の新自由主義からみれば日本経済はいろいろな意味で異質でした。だから、企業などの買収によって資本の論理で同質化し、アングロサクソンの世界と同じような市場経済の論理に染め上げ、株価を吊り上げては売却して儲ける。日本の企業経営者は敵対的な買収を避けるためには、従業員の給料や厚生よりも、短期的な利益率を最重視せざるを得ません。

これにより日本の独自性や文化伝統、長期的な人間関係といった独自の価値は解体されていきます。当時は「日本異質論」が流行りましたが、異質であることは決して悪いことではないはず。むしろ異質性を売り物にしてグローバリズムに対抗することを考えるべきだったかもしれませんが、国家意識が薄弱な状況では、その力は働きにくかったでしょう。

民間の投資感覚が及ばないスケールの事業にこそ国はチャンスを与えよ

こうしてグローバリズムが新自由主義のワシントン・コンセンサスのもと、世界規模で花開いた90年代以降の潮流は、日本の国家運営にも大きな影響を及ぼします。

民間の投資に対して短期間で成果を出すことがより強く求められるようになりましたが、何年後に成果が出てくるかわからない、そもそも具体的な成果が期待できるかどうかわからない研究開発はたくさん存在します。しかし、そのような基礎研究に広く長期的に機会を与えることができるのは民間ではなく、それは国の役割です。

短期の収益性を求める資金提供しか望めないのでは、市場を席巻するような支配的技術の出現を期待するのは困難でしょう。米国は日本には市場原理主義を押し付けながらも、巨額な研究開発のかなりの部分を政府が担っています。

典型的なのは軍事技術。あのインターネットが軍事技術の民間転用だったことは言うまでもありません。

中国も技術開発は国家主導です。米中とも、日本とは桁違いの国家予算を基礎技術の開発に投じています。

しかし、財政にも金融にも規律を求めるワシントン・コンセンサスによる洗脳のもと、こうした国家投資も日本では財政規律の範疇に収められ、プライマリーバランスの名のもとに、国ですら、目先の利益が見えているものにしかお金を出してはいけないという規律により強く縛られることになりました。

半導体戦略の中核にあるべきなのはCPU（中央演算処理装置）の設計だとされます。これについて世界で優位を築けそうな画期的な技術開発に携わっていた東大の研究者と一緒に経産省に話しに行った時も、担当者は理解はするのですが、口から出る言葉は「自分たちが財政資金を出すからには、いろんなチェックを受ける。たとえば5年後にどのくらい利益が上がってくるのかという具体的な見通しが立ったらまた来てください」……。

民間の資金提供者と同じことしか言えないのでは、なんのために存在している国なのか。

そもそも基礎研究には「無駄なお金」はつきものでしょう。あらかじめこうだというのが見えているのであれば基礎研究とはいえません。おおらかに自由に好奇心で研究に打ち込む中でこそ新しい画期的な発見が生まれる。重大な発見の裏には百も二百も失敗があってもおかしくない世界であり、そのリスクを民間が取れるものではありません。

民間のベンチャーも、10投資して成功は1だけでも、1が大化けすれば十分に元が取れるという発想のもの。資産格差の大きい米国では、失敗があっても納得づくで巨額の資金を提供できる富裕層が存在し、民間でもベンチャー投資が経済を活性化しています。

平等社会の日本ではそうした個人がおらず、サラリーマンばかり。ベンチャーといえばファンドという組織であり、たいていのファンドは第三者委員会が投資先を最終的に決めますが、必ず銀行出身者が過去の事例を持ち出して、規律の観点からストップをかけます。

現在の日本で最も大きなリスクをとっているのは政府系の日本政策投資銀行だとも言われるぐらい、民間のリスクテーカーが不在な日本であるからこそ、国にはリスクをとる役割があることを忘れてはいけません。

これは3章で述べた投資国債にもつながる話です。

「もう銀行員はいなくなったんだよ」銀行員だった父の慨嘆

「構造改革」の名のもとに、民間の金融もグローバリズムによる規律にひれ伏すようになったのですが、私の亡くなった父親は都市銀行に勤めておりました。その父が銀行を退職してだいぶ経った晩年に、私に語ってくれたこんな言葉を思い出します。

「銀行の支店長の仕事というのはね、3つのものを見極めることなんだ。まず、経営者の人を見て、そして技術を見て、経営を見ることだ。ところが今の銀行員は、もうあんなのは銀行員じゃないよ。今は銀行員がいなくなってしまった」

では、今の銀行が何を見ているのかといえば、担保価値と、保証がついているかどうかです。もし貸し倒れがあっても、担保と保証という客観的なエビデンスがあれば、担当者は責任を取らなくても済む。要するに無責任体質です。

そうであれば、銀行の融資判断は銀行員が決めているのではなく、不動産鑑定士と信用保証協会が決めているようなものでしょう。人を見極めるプロの目利きがいなくなり、本来は預金者に代わってリスクテイクをするという間接金融の役割を果たすことで経済に血流を送ることが役割だった銀行が、その能力まで喪失しているようです。

そういえば、最近は医者に行っても、パソコンの画面を見ながら問診の内容をキーボードで打ち込むばかりで、脈を取り触診することはおろか、患者の目すら見ない。データばかり見て人間を見ていないという現象は、金融業界でも同じ。人間不在です。

人間中心主義の日本では、やはり人間を取り戻さなければ経済も成長しません。

前記の銀行の体質は、銀行がバブル崩壊に懲りたことから本格化したものですが、これを加速したのが、大蔵省解体でした。財政金融分離で大蔵省から金融行政が切り離され、98年に金融監督庁が総理府（のちの内閣府）に設立され、これが2000年に現在の金融庁に改組されたのですが、護送船団だの癒着だのと言われて切り離された金融行政は、ならば、徹底して「透明かつ公正」な財務の健全性チェック機関になろうと変容しました。

不良債権を厳しくチェックし、行政処分を頻発する。

かつての大蔵省の中であれば、銀行局や証券局がそうだったように、金融という国民経済の血流部分を戦略的にどう機能させるかという視点を金融行政は持つことができました。それが今度は、事前指導行政から事後チェック型へとスタイルが変わり、「金融処分庁」とも揶揄《やゆ》されたものです。

これが銀行を過剰に委縮させることになり、融資先に対しても融資を断る理由として「金融庁がうるさいから」と、これも責任転嫁をするようになりました。

ただ、近年では金融庁の行政も大きく転換し、銀行に対して積極的にリスクテイクを促すようになっています。しかし、銀行のリスク回避体質は長年にわたってしみついたもの。そう容易には本来のリスクテイク能力を回復できないでいるようです。

こうした無責任体質の集積が、いくら日銀が異次元緩和で日銀当座預金を積み上げても、銀行が簡単には信用創造で融資を増やさない、つまり市中マネーが思い通りに増えず、金融政策が目詰まりを起こしている原因にもなっているといっていいでしょう。

日本人は歴史的にみて世界でも際立って賢い民族ですから、技術の種《シーズ》はいくらでもある国なのですが、今はそこにマネーが回らず、技術も人材も埋もれてしまっています。私自身、そうした事例を山ほど知っています。

そこでどうしてもリスクテイク能力のある海外マネーに頼ったり、米国など海外に渡って才能が見いだされて成功して、結局海外から始まるという事例ばかりになってしまっています。

これでは日本はますますグローバル勢力のコントロール下に置かれることになります。

国家意識を欠いた国は経済成長を失い、国も失う

日本はかつて半導体王国と言われていました。東芝のＤＲＡＭ（揮発性メモリ）などは完全に世界を制覇していましたし、当時は世界が必死に日本を追いかけていたわけです。インテルのコア技術や、スマートフォンのオリジナルアイデアも、実は日本人が発案したものでした。

１９７０年代ころに、業界のトップたちが集まって協議を重ねていたそうです。ちょうど戦中戦後の日本を知っている世代の方たちで、彼らはＧＨＱの洗脳の手口や米国が目論《もくろ》んできたことなどについて、よくわかっていたわけです。

彼らに共通していたのは強烈な国家意識。「ＩＢＭなにするものぞ」との精神で、知恵を出し合い、技術者を集めて半導体王国ニッポンを築き上げることになりました。

結局、経済を強くするものも「国への思い」。国家が大事だという意識を共有することも、私が代表を務める参政党の重要なテーマです。

ある精神面でのコンサルタントをされている方が言っていましたが、「あなたは日本人でしょ」ということに納得すると、たいていの精神的な病は治っていくそうです。

参政党で街頭演説をすると、子どもたちからお手紙を受け取ることが多いのですが、「日本の素晴らしさを言ってくれて私たちに勇気を与えてくれた。私たちの世代で引き継いでいきま

す」という内容が子どもの字で書かれたお手紙を何度もいただきました。

大人も含めて全体として日本人に元気がないのも、戦後の自虐史観による洗脳によって自尊心を失っているからだという面が大きいでしょう。人々のマインドが停滞すれば、必然的に経済も元気をなくします。人も経済も、これを強くするのは国家意識だと思います。

しかし、たとえ「国を取り戻す」という思いがあっても、その邪魔をしているのが米国の占領政策が残した財政法4条だったり、ワシントン・コンセンサスだったり、その意を汲まされた財務省や金融界の規範だったりするわけです。

プライマリーバランス論に依拠する財務官僚たちは、財政の健全化が国を守るという言い方をします。歴史を見ると、財政の崩壊が国の崩壊につながった事例はたしかに多い。

しかし、経済全体のマクロバランスでみれば、対外純資産残高が世界最高の日本では、むしろ財政がもっと出て、国が国にしか果たせない役割を演じないと、それこそ国を失うことになりかねません。

今の仕組みのまま財政規律を守れば、それによって弱る日本の民間経済をマネージできるチャンスが増えるグローバル勢力の利益は拡大しますが、肝心の日本国民が窮する一方でしょう。

それは自律的な成長の力を萎えさせ、日本の海外依存体質を強めさせることになります。

地方では中国などからのインバウンドがなければ経済が回らないという悲鳴が、コロナ禍のもとで聞こえてきました。このままでは、現在も着々と進行している中国によるSilent Invasion（静かなる侵略）が、将来的に日本にチベットやウイグルの道を歩ませることになりかねません。

貴重な水源地となっている農地などの買収、日本国内での日本ではない地域の拡大、メガソーラーによる自然環境の破壊等々、中国勢の侵略は数え上げればキリがありません。

まずは日本のマネーで地方や経済の活性化を図らねば、日本が本当に日本でなくなる日がいずれ来てしまうことを懸念します。

世界を席巻《せっけん》する中国という新潮流

90年代の米国の世界戦略の中で日本は買収されやすい経済へと「カイカク」にいそしんだわけですが、その地ならしの上に立って日本を席巻するグローバリズムの主役へと躍り出たのも中国勢でした。

米国主導の金融主導の時代は、08年のリーマンショックでいったん、幕を閉じ、代わって世界経済を主導するようになったのは、リーマンショック後に4兆元の経済対策で「世界経済を救った」と称賛された中国……。

その中国は、今や付加価値の最大の源泉となった電子データを中央集権体制のもとで世界覇権戦略に活用しつつ、世界経済を主導する存在になっています。そのもとで進んでいるのが「世界の中国化」。これが金融主導に代わる新たな世界の潮流になりました。今度は中国のグローバリズムが、世界中の差異をなくそうとする局面になったわけです。

中国人のインバウンドに日本が期待すれば、日本の産業経済も中国人のテイストに合わせた方向を向きます。市場経済での主権者は消費者ですから、中国は世界に巨大マーケットを提供することで、世界のあらゆるところを全部、チャイニーズテイストで染め上げることになる。

これこそが中国が主宰する世界秩序の形成かもしれません。

あのウィーンの音楽すら、なにやら中国風の音楽になってきたのではないかという話も耳にします。欧州各国も高齢化による財政難で、音楽に対する公的助成が減り、代わりに外国マネーに頼る傾向が強まってきました。それが中国マネーなら、スポンサーである中国人のテイストに合わせるようにせざるを得ないということか…。

イタリアのオペラで著名なミラノスカラ座すら、中国マネーがないと運営できないとか。イタリアは欧州でも一帯一路に早くから組み込まれた国で、ファッションブランドも買収されているし、音楽学校でも生徒は全員中国人というところまで出てきているようです。

もはや中国なしには音楽はできないと、現地の日本人オペラ歌手が嘆いておられます。

中国というグローバリズム全体主義こそが、日本を日本でなくす最大の脅威でしょう。

「株主資本主義」が日本人の賃金が上がらなかった元凶

成長を遂げてきた中国と対極にあるのが日本。

日本だけが経済成長せず、賃金が上がらないできた背景として、「株主資本主義」というキーワードを無視することはできません。

実は、日本国民の絶えざる努力で、法人企業統計によれば、ここ30年ほどの間に、日本企業の利益剰余金は約4倍にまで増えています。

ところが「賃金・賞与」のほうはずっと横ばい状態で増えていません。

利益剰余金とは株主への配当財源になる部分です。企業は株主のものという「株主資本主義」のもとで経営者は、この部分を拡大することを最優先します。そして人件費も減価償却費も、この部分を圧迫する固定費だとして抑制されます。

結果として賃金は上がらず、国内の設備投資も増えない。そんな状態で日本は力強い内需主導の成長ができず、日本人は株主である海外の投資家や外国の年金基金の年金受給者たちの奴隷のように働いてきたわけです。立派な経済占領です。

すでに表向きだけでも、日本の上場企業の株主構成は4割を外国勢力が占めています。

ある欧州のビジネススクールでは、「日本市場が本格衰退する前に、日本企業に自社株買いや高い配当を要求する。それを継続することが不可能になるまでしゃぶりつくし、最終的に株価が下がる前に高値で売り抜けることが最も効率が良い」と教えているとか……。

日本のストーリーの喪失とモラルダウン

ただ、平成以降の日本経済の停滞は、グローバリズムがもたらした「カイカク真理教」や、戦後占領体制レジームを引きずった「プライマリーバランス真理教」の財政運営といった政策面だけがもたらしたものではありません。

民間経済の側で、経営者たちが本来の日本の軸を失い、特に大企業が時代の環境変化に応じて自らを主体的に変革できなかったことも大きいと思います。

私は、国民が前に向けてリスクテイクをとって挑戦するマインドを持つために必要なのは、やはり日本の国のストーリーだと思います。

高度成長期の日本人は、みんな今日より明日が豊かになると信じて、坂の上の雲を目指して働いていた。それが日本のストーリーでした。

それがバブルの時には、今度は日本人のほうがグローバリズムに頭を染められてしまったのか、まさに「今だけ、金だけ、自分だけ」で、「俺は天才的投資家だ」「バスに乗り遅れるな」、多くの人たちがそのストーリーに乗ってしまったようです。あのときは、日本人自身が本来これとは真逆の国民性を忘れ、官民ともにモラルダウンしていました。

当然にバブルは崩壊し、その後、日本国のストーリーは規律と無駄のカットと市場競争の「コウゾウカイカクの物語」になってしまったわけですが、これは日本人が心から納得して進んでいける物語ではありません。必然的に、今度は別の意味でのモラルダウン（マインドの委縮）が置きました。「赤信号、みんなで渡れば怖くない」のバブルの物語から一転して、「青信号、みんな渡らないから自分も渡らない」に……。

これが主体的な価値判断を欠いた「一億総無責任体質」にもつながるわけです。

欧米キャッチアップ後の局面変化に対する、意識のモードチェンジの遅れ

また、高度成長期までの重厚長大産業時代の成功体験が、日本人に必要だったモードチェンジの邪魔をしたことも指摘せざるをえません。

前述の90年代以降の世界の潮流変化の中で、日本の大企業がこれに乗れなかったのも、日本経済が凋落した原因の一つでしょう。

ダーウィンの種の保存の法則も言っていました。環境変化に適応できない種は絶滅する……と。

前期資本主義を代表する産業は繊維産業や軽工業ですが、経済発展に伴い、これが巨大装置産業を軸とする重化学工業時代に移行していきます。これを後期資本主義と呼びます。

日本の産業史と照らし合わせてみると、第2次大戦の前後でこうした切り替わりが起こりましたが、この鉄鋼や化学や造船といった重化学工業は、戦後の日本の年功序列、終身雇用という一種の社会主義的な仕組みの中で、日本人の協働の精神を発揮させたという意味で、当時の日本にとても合っていました。

これに米国が市場を提供し、高度成長は戦後の恵まれた環境の中で実現したといえます。巨大装置の扱いや管理は経験した人が1番よく知っている、つまり経験値が大切なのです。だから、先輩からの伝承でノウハウが蓄積されてうまくいく。しかも巨大装置産業の場合、改良を加えていけば、作った製品は何十年間も同じものが売れる基礎的なものなので、年功序列、終身雇用のシステムのもと、労働者は習熟しつつ働き続ければよい。

そんな時代が昭和のうちは続いていましたが、今度はそれら装置産業の分野に、より人件費の安い新興国が参入するようになると、その部分は中国などが担うようになり、日本は戦略的転換を遂げてさらにその次の分野へと進まねばなりませんでした。

しかし、それまでの巨大装置産業時代の成功体験が邪魔をして、変革への決断がなかなかできなかった。

欧米が新たな類型の商品を生み出し（プロダクトイノベーション）、それを生産工程を効率化する技術革新（プロセスイノベーション）による規格品の大量生産で、価格競争で市場を獲得していく。そんなビジネスモデルから脱却できませんでした。より付加価値の高い多品種少量生産へと脱皮すべきところ、そうした転換に遅れをとったわけです。

おそらく1970年代の間に、日本全体が「欧米に追い付け追い越せ」のキャッチアップ型国家から局面転換していたと思います。それまでは欧米には日本が模倣すべきモデルがあり、それに向けて全力投球さえしていればよかった。

しかし、もはや目標とするモデルがなくなり、日本自ら新しい分野を切り拓いて世界最先端を生み出す挑戦を続けねばならないフェーズに入っていたのに、それができなかった。

よく、日本の生産性の低さの原因としてIT化の遅れが指摘されています。

これも、世界の産業技術体系が90年代に、汎用品を世界中から寄せ集めて組み立てる「寄せ集め型」に転換していたにもかかわらず、現場志向の日本の産業が、ピッタリとした製品を協働で作り込む「すり合わせ型」という強みにこだわったことによる面が大きいでしょう。

業界縦割りの「組織本位制」と一億総無責任体質が日本をダメにした

ゴルバチョフが「世界で最も成功した社会主義」と評した日本の戦後システムを、私は、業界縦割りの「組織本位制」と捉えています。

大企業というガチガチの組織の論理で動く組織があり、その下に2次下請け3次下請け……この業界ピラミッドの上部に業界団体があって、さらにその上の頂点に業界を所管する霞が関の各省庁が君臨している。

それぞれが全部タテ割りで、日本は建設省王国とか農林省王国とか運輸省王国……という形で分断されてきました。それら王国の王様は各省庁の事務次官や次官OB。高度成長期は経済成長という単一の目標に向けて、それぞれの業界縦割りが自らの部分最適を追求していれば、結果として全体が成長するハッピーな時代でした。

国民の価値観は、いかにして、この縦割り分断構造の中でできるだけ有利なポジションに身を置くかということになり、ならば組織管理社会に最も有利なのは受験秀才だということになります。東大という1つの価値観のもとに、みんなが受験勉強に必死になる。

では、受験秀才の能力とは何なのかといえば、簡単に解ける問題を見つけて難しい問題を先送りする能力です。試験で10問問題が出てきたら、一定時間の間に高得点をするためには解きやすい問題から回答するしかない。この問題は面白い、じっくり考えてみようとなると、試験時間は終わってしまいます。

そういう人が組織本位制社会に入ると、自分の庭先をきれいにして大事なことを先送りする人が出世することになります。そして、そういう人のほうが上司の評価も高い。上司は面倒な問題を持ち込まずに自分を気持ちよくさせてくれる人を引き上げます。

結果としてみんなで問題先送りをすることになります。経済が右肩上がりのときには成長が問題を飲み込んでくれたからよかった。しかし、低成長になると先送りされた問題はもっと大きくなり、解決が難しくなる。

受験秀才の殿堂だった大蔵省が不良債権問題の抜本処理を先送りし、問題をもっと大きくして深刻なデフレを招いたことが示す通りです。

戦後の規格品大量生産の時代は、右のような意味での処理能力が平均的に高い人材集団を生み出すことが教育でも企業でも求められました。

しかし、前述のように欧米キャッチアップ時代が終焉してからは、「ちょっと変わった人」と言われるような独創性や異才がフロンティアを拓く時代になっていました。そういう人をきちんと評価する価値尺度を日本は構築できませんでした。

上場企業の部長ぐらいになると自分の再就職先のことが気になり、会社が円満に再就職先を世話してくれるよう社内に波風を立てたくない。だから、若手の部下が素晴らしい新企画を上げてきても握りつぶす。これが組織の論理というもの。

もし、何かプロジェクトをやる時には、外部のコンサルタント会社に発注して、「マッキンゼーがこう言ってますから」とすれば、いざというときに責任逃れができます。

でも、多くの場合、高い金を払ってコンサルに言わせるまでもなく、現場をよりよく知っている社員はとうに分かっている。

結局は、一億総無責任体制。新たな価値判断をすれば責任を取らせられかねない。だからそれは極力避ける。当然、日本の次を拓くチャレンジは起こらなくなります。

戦後システムで失われた共同体、「日本を取り戻す」の意味を考える

本当にまるで社会主義なのが「戦後システム」なのですが、これが行き詰まっていたにもかかわらず全体的な組み換えがなされてこなかったことが、90年代以降30年に及ぶ日本経済停滞の根底にあるような気がします。

ただ、この戦後システムも、一見、集団主義的とされる日本の国民性に合っているようにみえて、実はそうではなかったところに問題の本質があると私は考えています。

そもそも戦後システムとは戦時統制経済が戦後にそのまま引き継がれたものです。

それは1937年の支那事変を契機に形成され始めた「1940年体制」が、その目的を戦争から経済成長に変えたもので、統制経済に入る前には、これとは真逆の経済社会が日本には存在しました。それは19世紀の終わり頃から20世紀初めの昭和恐慌の頃まで花開いていた「明治大正経済システム」という、現在の米国よりも自由で社会の流動性が高く、自立自尊の精神に満ちた伸びやかな時代でした。大正デモクラシーとも重なる時代です。

明治維新の原動力にもなった江戸時代末期からの資本蓄積は、地方の豪商農が主導する社会を築き、彼らは「藩閥政府なにするものぞ」の気概で地方を振興しましたし、財閥を中心とする当時の経済界も、政府の介入を極度に嫌いました。

そして戦前までは、日本には競争社会でのリスクテイクのバッファーとして、地域社会にはコミュニティ（共同体）が根付いていました。「辞表を懐に《ふところ》」して信念を貫きとおそうとした有為な人材には、いざとなれば「田舎に帰って百姓でもやるか」といえる「田舎」がありました。家族形態も大家族でしたから、各世代が支え合う姿も見られました。

それが戦後は核家族と「カイシャ」だけとなり、人々の生きがいや生死の問題を解決してくれる共同体の役割を果たすのは、それこそ家族ごと面倒をみてくれる終身雇用のカイシャ共同体となりました。カイシャからは福利厚生と給料をもらい、国は社会保障で面倒をみてくれる。人生はお金が中心となり、資本といえば物的資本や金融資本であって、「社会的信頼関係資本」は失われていたといえます。

強欲な資本主義の元祖である欧米には、競争社会のバッファーとなってこれを支えるかのように、キリスト教共同体が根付いていたことを見逃してはいけないと思います。

そこには金銭的利害を超えた倫理や協働の世界が人々を包摂してきました。

所得格差の大きい米国でも、富裕層がなぜ、あくなき富の追求を続けてやまないのかといえば、彼らの目的が、儲けた富をドネーション（寄付）に回すことで自ら実現したい社会的価値を実現することにあるからだという場合が多いようです。

近年、欧米でもキリスト教共同体は崩れてきているようですが、米国では金銭的利益よりもコミュニティでの社会貢献に価値を置く新しい世代が台頭していると聞きます。

日本では90年代からのグローバリズムの席巻でリストラや非正規雇用化が進み、カイシャ共同体に対する人々の共同幻想が崩壊することになりました。それが不確実性と閉塞感を生み出したことも、リスクテイクの沈滞化と経済活力の停滞の原因だと思います。

前述の株主資本主義に代わるものとして岸田総理は「新しい資本主義」を提唱していますが、それが高度成長期の日本であっては意味がありません。

かつて安倍元総理は「日本を取り戻す」を掲げましたが、取り戻すべき日本とは、戦後の高度成長期の日本でも、戦前戦中の軍国主義の日本でもなく、それより前の明治大正経済システムまで続いていた本来の日本でなければならないと考えます。

これを取り戻すとは、人々の生きる拠《よ》りどころであり生きがいの場であるコミュニティの再構築を意味するものです。しかもそれは、新しい社会基盤である情報技術によってバージョンアップされた、日本人の国民性にマッチしたコミュニティである。

私はブロックチェーンの社会への実装が、これを支える技術基盤になると考えています。

このことを根底に据えた次なる社会への提案が松田プランです。次章に進みましょう。

5章

松田プランはルネサンスだ

「人間を取り戻す」ことが全ての根幹

今の仕組みのもとで現実に採用できない政策論は「弱犬の遠吠え」

いよいよここから、松田プランなど、「経済の論理」を貫徹させて日本経済を30年にわたる停滞から脱出させる方策のお話に入りたいと思います。それは同時に、私たちが前向きの人生を取り戻すための、次なる未来社会のあり方を考えるお話です。

まずは、経済にお金が回るようにしなければなりません。そのためには国の財政がもっと積極的に、お金を未来への投資に回さねばならないことは、これまで述べてきた通りです。

ただ、今の仕組みのもとで、国債が増え続けるだけの状態では、経済の論理が財政の論理も日銀の論理も乗り超えられないことも、これまでのお話でおわかりでしょう。

だから、政策当局は1000兆円にのぼる国債発行残高を前に、国債増発による積極財政には、コロナのときのようなよほどの有事でないと簡単には踏み切れないできたわけです。現実に、いずれ現在の異常な超低金利ではなくなったときには、巨額の国債残高は経済に様々な悪さをしますし、社会的な歪みも拡大させかねないなど、多くの問題が生じます。

国債の累増に「出口」がない政策は財務省も日銀も絶対に採らないことは、私自身が政策当局にいたことがありますから、誰よりもよく知っています。この出口というものがなければ、マーケットもどんないたずらをするかわかりません。これが現実です。

これまでの多くの積極財政論者の方々が見落としていたのはこの点です。いくら財務省を批判したところで、いくら野党が消費税撤廃を叫んで国民が支持して政権をとったところで、政策当局を縛っている鎖を解かないと政策は変わりません。

「できないものはできない」で終わってしまいます。これでは「弱犬の遠吠え」です。

私が提唱している松田プランとは、この「出口」となる仕組みを創ることで積極財政への転換を可能にする、ほとんど唯一の現実的な政策だと考えています。

財政健全化といっても、国債を処理してしまうしか道はない

まず、財政の論理といっても、今の財政の仕組みのもとで先進国最悪の財政状態が健全化できると考えること自体が夢物語です。

財政再建には三つの手法しかありません。

増税か歳出削減か経済成長による税収増かです。

歳出削減は今や社会保障給付削減という国民負担増にほかなりません。増税についても、将来、経済が正常化して金利が上がった段階で、国債発行残高の対GDP比率が一定以上に上がらずに安定させるために必要な消費税率は30%ぐらいではないかと思いますが、そんな増税をしていては経済がもちません。

経済成長に頼るというのも現実的でないことは3章でみた通りです。世界一の速さで超高齢化が進む人口減少社会の日本経済は、常に後ろに引っ張る力が働いている、いわば「ランニングマシン」状態です。今の位置を維持するだけでも相当な努力をして前へ前へと走り続けねばなりません。夢を描くだけでは無責任。

今までのやり方では土台無理な財政再建目標を掲げて国民に緊縮を強いて日本の国力を停滞させるのではなく、この際、無理なものは無理。現実を直視して発想を変えるしかないです。

そもそも右の三つの方法はいずれも、毎年毎年の収入と支出という「フロー」で考える発想です。そうではなく、過去からの蓄積である「ストック」に着目して、国債残高という政府の負債のストックそのものを減らすことから考えたのが松田プランです。

そうすれば、金利が上がっても国債が悪さをする程度をぐんと減らせますし、国債残高が減る仕組みがあるのならば、国債発行を増やして財政を拡大することで、対外純資産残高世界一の日本経済で国内にお金の流れを取り戻す上での障害が除去されます。

財政の論理とは要するに国債が増えないようにすることなのですから、財務省も文句なし。国債が将来の国民負担を増やすことも回避できますから国民も助かる。将来の増税に怯えて委縮せずにすみます。

そのために、日銀が大量に持っている国債をデジタル円という新しいお金に換えてしまうというのが松田プランです。国債は決して民間の資産ではないことは3章で述べましたが、こうして国民誰もが使えるお金に変われば、国民にとっての本当の資産になります。

こんなマジックがどうしてできるのか。松田プランは、経済の論理を財政の論理と矛盾せずに貫く方法はないかと、一応、財政を知り、実際に当局で政策を作っていた者であればこその解決策を考え続けた私が、東大の大学院の客員教授としてサイバーセキュリティの研究をすることで関わることになった情報技術との合わせ技で生み出したものです。

「統合政府」で考えれば、日銀保有の国債は政府の「借金」ではなくなっている！

日銀が国債発行残高の半分以上を保有するに至ったことがセンセーショナルに取り上げられていますが、逆にこれは、松田プラン実行にとってはありがたいこと。お金に換えられる国債は多ければ多いほど良いはずです。むしろ大チャンス。

異次元緩和をやってくれてきたアベノミクスに感謝です。国債は市中にあればなんともできませんが、日銀が持っているなら、日銀のバランスシートの中で処理できるからです。

ここで「統合政府」の考え方を導入してみましょう。政府のバランスシートと日銀のバランスシートを、あたかも一つの会社であるかのように統合して連結するわけです。これは何も、日銀を政府の子会社にするという意味ではありません。これまでも政府と日銀は市中のマネーを増やすためにアコード（協定）を結んで対応してきました。

以下は、政府と日銀が、こんな新しいアコードを結んではどうかという提案です。

一般に国債は政府の民間に対する借金ですが、統合政府という視点でみれば、日銀が保有する国債についていえば、日銀の政府に対する債権であり、政府の日銀に対する負債です。統合政府の中では債権と債務が相殺されて、チャラになります。２０２２年3月末の段階で、これは５２６兆円ですが、これは民間に対する債務という意味での国債ではなくなっています。つまり、政府が民間に対して返済しなければならない借金ではない。

では、統合政府の中でこれは何に変わっているかというと、日銀の負債である日銀当座預金です。ただ、これは3章でみたように、預金者である銀行が好きな時におろして使えるお金ではありません。銀行が手持ち以上の日銀券を必要とする時には、この日銀当座預金が日銀券に替わりますが、日銀は日銀券を返済するために何かを国民に渡さねばならないということもありません。紙幣を金と交換していた金本位制の時代ではないのですから。

結局、日銀が保有している国債は民間に対する政府の債務という意味での国債としては消滅していることになります。今でも政府の債務の半分以上がこうして消えているわけです。

国債を減らすことは究極の財政再建。財政よりも経済を優先していた故・安倍元総理は、実は財政再建にも歴史的な成果をあげていたことになる……!!

と言いたいところですが、話はここでは終わりません。日銀が保有する国債も次々と満期を迎えていきます。その時には政府は借換債を市中で発行して、その財源で日銀が保有する国債を償還することになりますから、その分、日銀保有国債は減少して民間が持つ国債が増えることで、元に戻ってしまいます。もちろん、日銀がこれまでと同じペースで国債を買い続けてくれるなら、それ以上に日銀保有国債は増えてくれますが、インフレ目標が達成されれば日銀も緩和政策を転換してしまうので、いずれこの効果は消えていきます。

「永久国債」とは？……日銀保有の国債を満期時に乗り換える「永久国債オペ」

ここで登場するのが永久国債です。

異次元緩和で達成されてきたせっかくの財政再建効果を将来にわたって確定させるのが、日銀保有の国債が満期を迎えるたびに、これを永久国債へと乗り換え、その永久国債を日銀は市中に売却しないというアコードを政府と日銀が結ぶこと。これを「永久国債オペ」と名付けておきます。

永久国債は政府に元本を返済する義務のない借金で、償還期限の定めのない「無期限国債」とも呼ばれます。金利は払い続けますが、政府は好きな時に元本を返すことができますし、返さなくてもいいわけです。

そんな、借金を勝手に踏み倒すようなことできるはずがない！　と思われる方も多いかもしれませんが、永久国債の考え方そのものは夢物語ではなく、民間では償還期限が定められていない永久劣後債がありますし、そもそも株式がそうです。株式は配当は支払いますが、それで調達した資金を株主に返済しなければならない債務ではありません。

債務の株式化（デッド・エクイティ・スワップ）を思い起こしてください。民間では債務で困っている企業に対して、金融機関が借金を株式化してあげることがよくあります。

永久国債オペは、日銀が政府に対してデッド・エクイティ・スワップをするようなものです。この場合、政府は、株式なら配当でしたが、金利だけ日銀に払い続けることになります。

永久国債そのものは、実際に英国で発行された「コンソル公債」の事例があります。これは18世紀半ばから政府の財政問題に対処し債務をまとめる（コンソリデート）ために発行されたもので、現在でもロンドン金融市場にいくつかの銘柄が存在しているそうです。

そもそも銀行券自体が「無利子永久公債（日銀債）」でもあり、実際、金融市場の関係者と話をすると、政府も永久（perpetual bond）という概念のものを出してほしいと言われることがよくあります。これを市中で発行するには商品性など色々とクリアすべき問題があるかもしれませんが、日銀が帳簿上、ずっと保有し続けるなら難しくないでしょう。

最近では国民民主党の大塚耕平《おおつかこうへい》参議院議員が右と同じ内容の永久国債オペを唱えており、同氏が日銀出身であることを考えると心強いですが、日本で永久国債論の元祖は私だと思っています。まだ私が財務省の現役官僚だった頃に仲間との共著で上梓したのが『永久国債の研究』（光文社、現在は絶版）でした。本書の大半を占める理論部分は私が書きましたが、1000円もしなかった本書が一時、10万円の値をAmazonでつけたことがありました。

それは2022年のノーベル経済学賞を受賞した元FRB議長のベン・バーナンキ氏が、かつて来日した際に首相官邸を訪ね、当時の安倍総理に対して永久国債を提案したという噂が市場に流れた時で、日本には本書しかまともに永久国債を取り上げた本がほかになかったからだろうと思います。もっとも、そのときに官邸で同席した私の財務省の同期である元財務官（浅《あさ》川《かわ》雅《まさ》嗣《つぐ》・現アジア開発銀行総裁）によると、そんな話はまったく出なかったとか。

もともとマーケットの噂などそんなものなのでしょう。

その本で私が提案したのは、政府や公共部門に債務（デッド）ではなく、株式と同様、一種の持ち分を持つエクイティ的な資金調達方式を導入することで、パブリック・エクイティという概念を初めて提起したのですが、その後の松田プランでの永久国債の考え方はもっと単純です。日銀が保有する国債の満期時に、また国債に乗り換えていくということは現在でも行われており、それを無期限国債を新たに発行して行うだけのことです。

大塚耕平議員が提案する永久国債オペは一時的に必要な政府の財源を生み出す趣旨のもの

で、いずれ元に戻していくというものですが、松田プランの場合はこれとは異なります。

永久国債オペで国債の減少と17兆円規模の財源の創出が同時達成

そこに話を進める前に、永久国債オペそのものが政府に財源を生み出すメカニズムについて説明しておきましょう。

これは3章で説明した国債の60年償還ルールと関係します。

永久国債化で政府は元本の返済義務からは免れますが、金利を支払う必要があります。ただ、支払い先は日銀であり、日銀の負債側は基本的に金利ゼロの日銀当座預金と日銀券だけですから、永久国債に支払われる金利はそのまま日銀の利ザヤになります。これは「通貨発行益」に相当するものなのですが、日銀は金儲けをする必要がありません。

ですから、永久国債について日銀に発生した利益は全額、政府に国庫納付をするというルールにすれば、政府には事実上、永久国債の金利負担が発生しないことになります。

つまり、元本も金利も政府が負担する必要がなくなり、日銀保有国債は永久国債に乗り換えられた時点で国の債務としては消滅することになります。政府の民間に対する借金であった国債は日銀が買い取り、満期が来たら永久国債オペをすることで消えてしまう。

これが、国債を日銀のバランスシートの中でストック処理してしまうということの意味です。

ここで再登場するのが国債の60年償還ルールです。そもそもこの制度は減債制度と言われるように、国債を減らすためのもの。永久国債オペが国債を消してくれるなら、何も60年償還ルールで国債を減らそうとする必要はなくなります。前述のように、実際にはこのルールのもとで国債は減っていませんが、永久国債オペなら実際に大きく減らせます。

財務省に調べてもらったところ、このところ各年度の日銀保有国債の償還額は55～65兆円程度。これを永久国債に乗り換えるわけですから、ざっくり言って毎年度、60兆円前後の国債が永久国債オペで消える計算になります。

一般会計から国債の元本返済に充てる債務償還費は23年度予算で16・8兆円。これよりはるかに大きな金額で減債制度の目的が達せられているのですから、債務償還費が丸ごと要らなくなります。日銀が持っている国債が全部、満期が来て永久国債に乗り換えられるまで何年もかかりますから、日本経済がデフレ体質を脱却するまでの期間だけでも、政府の財源対策として続けても良いでしょう。

ここで大事なのは、この永久国債オペをすることで初めて、国債を増やさずに60年償還ルールをやめて財政の財源を捻出《ねんしゅつ》できるということです。

たとえば23年度予算では新規国債発行額が35・6兆円ですが、この額を変えずに、浮いた16・8兆円を、防衛費であれ社会保障費であれ科学技術や教育であれ、実体経済や国民生活向上などに回すことができるようになります。これまでは、この35・6兆円の国債のうち16・8兆円は過去の国債の処理に回されていましたが、これを前向きの実体的な財政支出に充てても、永久国債オペが国債をもっと減らしてくれているのですから、経済の論理と財政の論理が見事に両立するソリューションになります。

防衛増税反対論者がいくら60年償還ルールの見直しを叫んでも、3章でみたように、結局は国債を増やさねば財源は出てきません。財務省は、それは結局は国債が増えるだけだと主張していますが、永久国債オペなら国債の減少と新財源の創出が同時にできます。

永久国債オペをそのまま受け入れられないのが日銀の論理

ただ、この何もかもがうまくいきそうな永久国債オペも、実は、日銀保有国債がすべて永久国債に乗り換えられるまでずっと続けていくことには、日銀の論理が待ったをかけることになります。と言うのは、このオペの前提は永久国債を日銀がずっと持ち続けることですから、日銀のバランスシートが資産も負債も両建てで膨張したままとなるからです。

いつかはこれを正常な水準にまで縮小したいと考えている日銀にとっては、トンデモナイということになります。銀行の側からみても、現在は0・001%と、ものすごく低い、ほとんどゼロの金利が通常の普通預金の金利も、将来、金利が上昇する局面になれば上がらざるを得ないとすれば、基本的に金利ゼロの日銀当座預金を多額に持っていると大きな逆ザヤが銀行側に発生してしまいます。これではもたないということになるでしょう。

もっとも、海外では普通預金に金利をつけない国もありますし、金利収入がほしい預金者はより高い金利をつけた定期預金で、という方向に変えていく方策があるかもしれませんが、これは将来の検討課題として横に置いておきます。

このように日銀が市中金利の実勢に応じて日銀当座預金に金利をつけて、これを引き上げることになると、今度は日銀の側で、多額に保有している永久国債からの金利収入がそのまま日銀の利益というわけにはいかなくなります。政府は日銀に支払った永久国債の金利の一部しか政府に戻ってこないことになり、政府には日銀保有の永久国債の金利負担が発生してしまいます。そうなると、政府の借金が消えた、とは言い切れなくなります。

いや、それでも大丈夫だと主張するリフレ派の経済学者もいらっしゃるかもしれませんが、少なくとも日銀の論理としては、バランスシートにおいて資産の側と負債の側との金利のつじつまが合わない事態は回避したいはず。このままでは永久国債オペを受け容れられないと言うのが現実だと思います。この現実を踏まえたプランでないと実行されません。

日銀が持つ永久国債は政府が発行する「デジタル円」で償還する

そこで、松田プランの次のステップの登場ということになります。

政府が通貨発行権を行使してデジタル円を発行し、このデジタル円で日銀が持っている永久国債を償還すれば、日銀の資産の側では、その分、永久国債がデジタル円に変わります。これは別に永久国債でなくても、普通の国債をデジタル円で償還しても同じことです。

このデジタル円が便利なものであれば、民間の方々からのニーズも高まります。

デジタル円を使いたい方は、現金との交換でも自分の預金からの引き落としでも、銀行での両替によってデジタル円を取得します。デジタル円は現金などと同じ法定通貨として発行しますので、それをお金のやり取りで使うときに手数料はとりませんが、銀行は、顧客のスマホなどにデジタル円のウォレットを装着したり、その管理に必要なサービス提供をするときに、手数料収入を得ることにします。これは銀行の新たなビジネスになります。

銀行が、たとえば顧客から百万円、デジタル円への両替を求められた時には、日銀からデジタル円を百万円購入します。銀行はデジタル円の小売店、日銀は唯一の卸売店です。

日銀が銀行にデジタル円百万円を売るときに日銀は自らの資産であるデジタル円を百万円手放しますから、日銀の資産は百万円減り、その決済は日銀当座預金からなされるので、日銀当座預金も百万円減り、日銀のバランスシートは両建てで百万円縮小します。

このバランスシートの動きは日銀が国債を民間に売り戻すときと同じなのですが、金融緩和の出口に向けて国債を売るというのは、金利を上昇させる懸念があるのでなかなか大変なことであるのは前述の通りです。でも、民間のデジタル円に対するニーズに応じてこれを銀行に売却していけば、日銀のバランスシートは自然に縮小していきます。金融緩和の出口が円滑に実現されることになるので、日銀からみてもありがたいプランでしょう。

日銀としては銀行へのデジタル円販売に応じるために、日銀が持っている永久国債（普通の国債でもOK）について、デジタル円の製造元である政府に対して、このケースだと百万円分、償還してくれと要請することになります。政府はこの要請に応えるためにデジタル円を発行することになります。こうした民間からの需要に応じて発行するルールにすれば、政府が勝手にデジタル円を乱発してやりたい放題で規律を乱すことにはなりません。

また、国全体のマネーの量が一定のもとで、その構成が、現金や預金通貨から百万円分、デジタル円に移るだけですから、それ自体がインフレを招くことにもなりません。

日本全体の通貨量を増やすのは国債発行による財政支出です。その国債を日銀がどこまで買うのか、日銀としてどこまで通貨量を増やそうとするのかということで、通貨量のコントロールはあくまで日銀の金融政策の土俵の上で行われます。そのためにも、デジタル円の唯一の卸売店を日銀が担い、金融政策と齟齬がないようにするわけです。

もちろん、大災害や先般のコロナ給付金のような有事には、政府が一時的にこのルールの例外として政府の意思でデジタル円を発行することは考えられます。また将来的にベーシックインカムを導入する際には、これで国民にお金を配る選択肢もありだと思います。

一般に「債務の貨幣化」と言うとインフレにつながる劇薬とのイメージがありますが、財政金融政策の協調によるマネー増大の政策の結果として日銀に積み上げられた国債と交換する（償還する）形で国債をお金に換えるなら、その心配はないという理屈になります。

マイナンバーを運営する政府なら、とても便利なデジタル円を発行できる

ここで大事なのは、では、この国債の貨幣化がどれぐらいの規模で起こるかです。それは国民がデジタル円をどれだけ魅力的なお金だと感じるかにかかっています。

すでに政府はマイナンバー制度のもとで、国民の所得や社会保険関係の個人情報のビッグデータを管理しています。たとえば、各国民の状況に応じて「あなたはこういう社会福祉サービスを受けられますよ」という案内が、デジタル円の保有者にはスマホにプッシュ型で通知され、サービスを受けたい国民はスマホでワンタッチで手続きも支払いもできるとなれば、「これは便利なお金だ！」となって、デジタル円を買う人は多いでしょう。

たとえば1章でも述べたように、デジタル円が消費税の自動計算やインボイスの自動管理と結びつくのであれば、デジタル円での取引を望む事業者はたくさんいるでしょう。

政府だけでなく、民間もあわせていろんなサービスとの紐づけができれば、相当なニーズが生まれ、国債償還に伴う将来の国民の税負担を軽減し、日銀のバランスシートを縮小させる効果は顕著になると思います。こうした各種のサービスとのリンクはブロックチェーンの特性であるスマートコントラクトが実現しますが、これは後述します。

つまり、政府発行デジタル円は、現在、各国の中央銀行が研究しているブロックチェーン上で発行、流通されるCBDC（Central Bank Digital Currency：中央銀行デジタル通貨）のような仕組みが想定されていますが、中央銀行（日銀）には個人情報のビッグデータがありませんので、こうしたサービスとのリンクができませんし、日本のマイナンバー制度のように高度なセキュリティで個人情報を管理する仕組みも、また個人情報を持つ意味も日銀にはありません。日銀としても、とまどうだけでしょう。また、CBDCの場合、政府発行の通貨なら日銀が持てば日銀の資産になるのに対し、こちらは日銀の負債に計上されますので、これを売却して日銀のバランスシートを縮小させる効果はありません。

CBDCはすでに中国がデジタル人民元を発行していますが、現時点では意外と国内での人気はないということです。やはり新しい通貨を導入する以上、最新の情報技術を駆使して、今までの現金や預金通貨では考えられなかった価値を世の中で実現できるようにしなければ、そもそも意味がないと思います。だから政府発行を提案しています。

情報技術を理解できる政府の若手官僚たちが、デジタル円と結びつくさまざまな行政サービスを競い合うようになれば、国民本位の政策イノベーションにもつながるでしょう。

安倍氏が評価した松田プランで、まだ未完のアベノミクスを完成に近づけられる

国債をお金に変えて減らすことで積極財政を可能にし、日銀が出口を気にすることなく金融緩和政策を進められるようにし、国民の利便性を高める「一挙三トク」のこの松田プランも、バランスシートの発想や通貨の考え方に慣れている銀行関係者や、デジタルサービスに通じるIT起業家やスマホに習熟する若者たちであれば、すんなりと理解してくれる方が結構いらっしゃいます。しかし、どうも従来の固定観念が邪魔しているのか、政治家や経済学者を始め一般の方々には理解が難しいようです。

そんな中でも、政治家としては最大の理解者になってくれた方がいます。故・安倍晋三元総理です。安倍氏に近かったジャーナリストの山口敬之氏によれば、お亡くなりになる少し前に松田プランのことをどなたかが簡単に安倍氏に説明したところ、「松田さんらしいプランだ、乗れる」とおっしゃったそうです。私は昨年の参院選では、自分がもし議席を得ることができ

れば、神谷宗幣氏とともに安倍氏を訪れ、直接、松田プランをご説明することを夢見て選挙を戦っていました。あの暗殺事件は本当に残念でした。

さすがは8年以上も総理をやられると政策リテラシーも高かったのでしょう。そして何よりも、アベノミクス三本の矢のうち第一の矢である金融政策は発動できたものの、第二の矢である機動的な財政出動ができなかったことを安倍氏は大変悔やんでいたと思います。

結局、現在の仕組みのままでは財政の論理を打ち破れず、二度にわたる消費税率の引き上げや、予算編成のたびに歳出を厳しく縛って国債の新規発行額を縮減する財政政策を余儀なくされていた。やはり仕組みを変えるしかないという思いがあったと思います。

その仕組みを提言する松田プランがあれば、第二の矢を思う存分発動し、マネーの循環を強化して、第三の矢である日本経済の生産性の向上に向けた成長戦略を奏功させる条件も整えることができた……最近ではアベノミクスの修正が言われるようになっていますが、アベノミクスそのものは未完なままです。いまはそのネックになっていたものを除去して、これを貫徹させるべき局面。アベノミクスを逆回転させれば、日本経済は奈落の底です。

アベノミクスを継承して完成に導いていくことこそが、現在の経済の論理だと思います。

積極財政で国のまもりにもつながる松田プランの意義

松田プランで国債を減らす道筋ができれば、他方で国債を増発して積極財政を展開できるようになるのですが、ではどのような分野で財政支出を増やすのかといえば、それは3章で述べた投資国債の対象分野でしょう。いま話題になっている防衛費もそうです。安倍氏も「防衛国債」を考えていたと聞いています。

そもそも現在の世界では、国家レベルでリスクをとらないと国際競争には勝てません。その分かりやすい分野が国防です。現在の軍事は先端技術の塊り。防衛産業はすそ野が広く、将来の技術力を高め、日本の新たな成長産業を切り拓き、経済の生産性向上にブレークスルーをもたらすものです。雇用吸収力もあり、地域振興にもつながります。

その意味でもまさに「未来への投資」。岸田総理の「要するに戦闘機やミサイルを買うこと」で米国にお金を流すだけが国防ではないはず。これまでのように日本の民間技術が中国の成長や軍事力を助けてきたようなことはやめて、まさに国産の先端技術の集積に向けて国が投資するという意味で、国防も投資国債が出番となる分野の一つだと思います。

国のまもりという意味では、松田プランが可能にする積極財政で経済全体にお金を回すことそれ自体が広い意味での国防になります。日本に対するSilent Invasion（静かなる侵略）を進める中国勢は、日本の土地や企業の買収をどんどん進めています。

愛媛県西条市《さいじょう》で150ヘクタールもの農地が中国資本によって買収されようとしていることに対し、参政党の愛媛県議が声を上げ始めたように、最近では水資源の獲得のために日本の農地を買収する事例が増えています。経済的に弱っている農家は買収の誘惑に勝てません。

コロナで業況が悪化した中小零細事業もそうでしょう。特に、政府のコロナ対策による国民の行動抑制は、飲食、小売、そして地方の観光関連の事業に壊滅的な打撃をもたらしました。

もう商売をやめるしかない…地方では飲食や旅館などが日本の伝統文化を担っており、それが消えてしまうと、日本のアイデンティティそのものが壊されてしまいます。

緊急事態宣言など医学的に間違った政府の対策でこうなったのなら、これを財政面で救済する責任が政府にはあります。今年23年に本格化するコロナ融資の返済や繰り延べられた公的負担などについては、この際「令和のモラトリアム」で猶予すべきでしょう。当然、財政負担は増えますが、デフレ経済下で起きた有事なのですから、これも財政の役割。

中国に身売りしなくても済むよう、国内でのマネー循環を強化して経済全体を持ち上げることが大事ですが、政府や自治体が対策をとるための財政資金も必要になると思います。

その意味では、投資国債の分野に限らず、社会保障や少子化対策、中小企業や農業の振興、地域活性化など、民生を豊かにするための幅広い分野での財政支出も、松田プランで財政余力が高まることで可能になる。私はこれが「究極の救国策」になると考えています。

たとえば長期的にみた日本の最大の問題は少子化による人口減少だとされますが、若者が子どもを産まない原因としては、やはり経済的な理由が大きいでしょう。

欧州には、子どもを三人も産めば働かなくてもよいだけの給付金が支給される国もあります。ただし、それは付加価値税率が日本の2倍もの高さだからだ、日本の岸田総理が子ども予算倍増と言うからには消費税率の引き上げが避けられなくなると警戒する方も多いでしょう。

私が親しくしている作家でジャーナリストの門田《かどた》隆将《りゅうしょう》氏が、これをぜひ参政党の政策にしてほしいとしている給付金制度の提案があります。それは、第一子には百万円、第二子には三百万円、そして第三子には一千万円の給付金を支給するという提案です。

夫婦当たり平均二人しか出生しないと人口は増えませんが、三人であれば増えます。多くの夫婦が三人目を考えるときにネックになるのが住宅事情です。公務員宿舎生活をしていた私もそうでした。三人目に一千万円が支給されれば、これを頭金に住宅ローンを組むことができます。これで住宅投資が増えれば経済も活性化します。

この施策で、現在80万人を切った年間出生数を倍増させるために必要な財源は4・5兆円、百万人にまで増やすなら2・6兆円という計算になります。消費税率にして1~2%ですが、これで国家の大問題が解決できるのなら安いものだという提案です。

これも松田プランがあれば、増税しなくても財源は出てきます。

また、他方で、10年にわたる金融緩和で本来は倒産すべき企業が倒産せず、「ゾンビ企業」が生き残っている、生産性の低い企業は退出して、新陳代謝が必要だという新自由主義的な議論がありますが、デフレ経済下ではこうした構造改革論には大きな誤りがあると思います。

売り上げが上がらなければ、企業は生産性向上のための投資など色々な改革はできません。まずは金融緩和を継続し、日銀が国債を買い続けることで政府が積極財政を展開する。こうしてマネーが回り、需要が増えてこそ企業は動けるようになり、アベノミクス「第三の矢」の成長戦略が奏功することで日本経済は生産性の上昇へと向かう。

賃金の上昇も本質的には生産性が上昇しなければ無理です。生産性の上昇→賃金の上昇によってこそ、需要がけん引する形でのインフレ目標が安定的に達成されることになる。現局面の日本経済は、こうしたアベノミクスの手順の出発点のところにとどまっています。

何事も競争によって解決しようとする新自由主義についてもうひと言いえば、いま必要なのは競争による新陳代謝ではなく、株主資本主義から脱した日本型資本主義の考え方ではないかということです。ただそれは、かつての高度成長期に回帰することではありません。それでは戦後システムを継続させるだけです。

そうではなく、本書で後述する協働のコミュニティという考え方で、企業間における「協調領域」を広げたり、協働のプラットフォームを作って一定の企業集積、産業クラスターを生み出し、クラスター単位で他国との競争を展開するという方向こそが、次なる経済社会の思想として求められているのではないでしょうか。これが岸田総理とは異なる、日本人の国民性にも合った「新しい資本主義」の考え方だと思います。

いま通貨の概念が人類史上初めての大変化を遂げようとしている

松田プランにはもう一つ、国のまもりという点で重要な意味があります。

中国はデジタル人民元を発行し始め、米国もデジタルドル、欧州もデジタルユーロといった具合に、多くの国々でCBDCの導入に向けた動きが進んでいます。ブロックチェーン上で発行、流通するデジタル法定通貨は世界の流れになるでしょう。

情報技術の急速な進歩がいま、通貨の概念を、人類史上始まって以来といえるほど大きく変えようとしています。これまでは通貨が人々に使われるためには、金（きん）であれ国家の信用であれ、何らかの信用の裏付けが必要とされてきました。

ところが、これがブロックチェーン上で発行され流通する通貨となると、こうした種類の信用ではなく、利便性とネットワークが、人々が通貨を使う根拠になることになります。

もし、何か信用の裏付けが必要とすれば、それはデータの改ざんが不可能なブロックチェーン技術に対する信頼といえるでしょう。これからは、情報機能やサービスと結びついた通貨へと、通貨の概念自体が歴史的変化を遂げることになります。

これまで中国の人民元は信用が薄く、中国は海外への輸出などで稼いだドルを人民銀行に集め、人民銀行はこれをバックにして人民元を発行してきました。しかし、これだと中国は最終的に基軸通貨国である米国に、国家の根本である通貨を握られることになります。米国による経済制裁で米ドルでの決済を制約されると、海外経済の成長を取り込んで経済成長をしてきた中国は大変困ったことになります。

トランプ大統領が対中強硬策を打ち出したときに、最初に貿易問題に照準を当てたのはこのためでした。米国の対中国貿易赤字は損失（loss）である。当時は、トランプ氏は企業経営とマクロ経済の区別もできない人なのかと思ったものですが、同氏が貿易問題を持ち出して中国に対米貿易黒字の是正を迫ったことには、実は、大きな意味がありました。

黒字で稼いだ米ドルをバックに発行された人民元が中国経済を成長させているだけでなく、軍事費にも回っている。考えてみれば、世界一のマネー供給国である日本のマネーが米国経済を成長させ、それが米国の中国から輸入を増やし、中国の黒字を増やしてきたことも考えると、もとより自国の技術を中国に盗られてきた日本は、技術とお金の両面で、せっせと中国の脅威を高めてきたことになります。なんとお人好しなことか……。

いずれにしても、中国からみれば、こうして米国から難癖をつけられたり、経済制裁を受けたりするリスクのある米ドルに振り回されることはご免こうむりたいところ。米ドル基軸通貨体制から脱却して人民元を国際化することは、2049年の建国百周年に米国を追い抜くスーパーパワーをめざす中国にとっては長年の悲願でした。

中国で高度に発達している情報技術とデジタル人民元の脅威

中国はいまや、情報技術では米国にとって脅威的な存在。そもそも近年の情報技術は、これを中央集権的に活用できる体制の国が有利です。国内だけでも14億人のビッグデータを国のレベルでさまざまな目的に使い、次々と付加価値を生み出せる中国には、個人情報保護などのルールのもとに、民間企業のそれぞれが個別にデータ管理をして自由競争をしている日米欧はかなわない面があります。これは特に軍事面では大きな脅威。米国が情報ハイテク技術で中国をデカップリングしようとするのには十分な理由があります。

中国では国内の数百万の工場と数十億のパソコン機器がネットで接続され、その全体が一つの巨大システムになっている、私たちが競争しているのはこれだ、とてもかなわない…。そんな声も、ITに詳しい日本のビジネス専門家から聞こえてきます。中国はAIでは論文数で米国を上回ったとされ、量子コンピュータでも世界覇権を競っていますが、ブロックチェーン技術についても、想像以上にイノベーションが進んできたようです。

すでに2014年頃から中国の中央銀行である中国人民銀行はデジタル人民元の導入に向けた準備を進め、ブロックチェーンの特許も多数とっています。こうした事態に私は早くから警鐘を鳴らしてきましたが、どうせ人民元は信用がないからと、日本では多くの人々が無関心でした。それは新しい情報技術が通貨の概念を大きく変えることが理解されていなかったからだと思います。

前述のように、いまでは多くの国々がデジタル法定通貨（CBDC）の導入に向けて検討を本格化させており、日銀も例外ではありません。ただ、現実に導入の目途は日米欧の通貨当局とも立っておらず、デジタル人民元が世界で先行する形となっています。

他方で中国は資金決済面でも、米ドルを中心とする国際決済の仕組みであるSWIFT（Society for Worldwide Interbank Financial Telecommunication）に対抗すべく、2015年から人民元で国際間銀行決済を行うCIPS（Cross-Border Inter-Bank Payments System）を立ち上げ、22年4月時点で日本のメガバンクも含めすでに1200を超える世界の金融機関が参加しています。

たとえば石油取引は基軸通貨である米ドル建てというのが戦後の国際通貨体制（ブレトン・ウッズ体制）での常識でしたが、すでに人民元建ての石油取引が行われようとしており、いずれデジタル人民元がＣＩＰＳに乗せられてくると、人民元が米ドル基軸通貨体制を脅かす存在になることを予想する専門家もいます。

中東はもともとロシアの影響力の強い地域でしたが、ロシアがウクライナ戦争で弱っている隙を突くかのように習近平氏がサウジアラビアを訪問しており、将来、石油など一次産品で裏付けられたスーパーデジタル人民元が誕生することになるのではないか、中国を中心とする、どちらかというと非民主主義的な国々と、Ｇ７を中心とする自由主義の国々とで、世界は通貨によって二つの勢力圏に分断されるのではないかという予想も一部に出ています。

デジタル通貨の強みはなんといっても、その利便性にあります。

特に新興国や途上国では、預金口座を持っていない人が多数いますが、スマホなら多くの人々が持っています。そのスマホを使って、百円だろうが1ドルだろうが、どんな少額でも一瞬で海外にも送金ができて、手数料がタダとなれば、「これは便利だ」と、中国の影響力の強い国からデジタル人民元が使われ始める可能性があるでしょう。

そうなると、どうしても日本も使わざるを得なくなる。仮にデジタル人民元そのものを使わなくても、それが、私たちが日頃使っている「〇〇ペイ」とリンクされてしまう可能性は否定できません。便利だからと中国発の電子マネーを使っていたら、私たちがいつ、どこに行って、いくらで何を買ったなどという情報までもが、いつの間にか中国共産党にすべて送られ、分析されてしまう可能性が出てきます。

デジタル通貨にはネットワーク効果があります。先行的に使われれば使われるほど、あっと言う間に支配的な通貨になる可能性があります。

そしてもし、中国がブロックチェーンの世界共通基盤を運営するようになれば、中国人民銀行がデジタルドルやデジタルユーロ、デジタル円を発行できるようになるかもしれないと言う人もいます。それでは国の通貨主権も守れなくなるでしょう。

中国がブロックチェーン基盤で世界覇権を握ったら、日本は消滅の危機に

さて、デジタル人民元そのものよりも私が恐れているのは、デジタル人民元の基盤にもなるブロックチェーンについて、中国がその世界共通基盤を運営し始めたことです。これはBSN（ブロックチェーン・ベースト・サービス・ネットワーク）と呼ばれ、すでに世界各国の民間のブロックチェーン事業には、この上に乗り始めたものが出ているそうです。

これまでがインターネット革命の数十年の時代だったとすれば、これからの数十年は、ブロックチェーンがあらゆる社会の仕組みやサービスの基盤となるという意味で、ブロックチェーン革命の時代になっていくと考えられます。その基盤となる部分を中国が押さえるとなると、その上で様々なサービスを提供したほうが便利だからということで、世界中のサービス

やデジタル通貨が乗ってくる可能性があります。これが、すでに世界各国にSilent Invasionを仕掛けている中国による世界覇権の最終兵器になるかもしれません。

インターネットは情報の伝達手段に過ぎませんが、ブロックチェーンの場合、暗号技術によって電子データを改ざん不可能な形で管理するだけでなく、手続きや契約を自動的に行える「スマートコントラクト」という機能があり、ここにブロックチェーンの利便性を高め、さまざまなサービスや付加価値を生むイノベーションの中核があるとされます。

そして、ユーザーが、それ自体が経済的な価値を持つものであるトークン（代用貨幣）で色々なサービスを享受することになるのがブロックチェーンの仕組みです。

インターネットだけですと経済的な価値の情報は「コピペ」ができてしまいますが、改ざん不可能なブロックチェーンですと、トークンの形で経済的な価値がネット上で送受信できるようになるわけです。

この原理を最初に仮想通貨として応用したのが、ビットコインを開発したサトシ・ナカモトなる人物ですが、実は、ブロックチェーンの考え方は暗号技術の世界ではずっと以前から知られており、単なる仮想通貨というよりも、広く社会の仕組みに実装することで利便性と付加価値の高い世の中を生み出す技術なのです。

これまで社会の仕組みはいずれも、中央に管理者を置き、その管理者への信用で回ってきたのですが、ブロックチェーンは特定の管理者を置かず、参加者どうしが直接つながり合う（ピア・ツー・ピア）自律分散を基本としています。現在の仮想通貨のように、誰もが匿名で参加して相互にデータの信憑性をチェックし合うパブリックチェーンという使い方がその典型ですが、ほかにも、中央に管理者を置くプライベートチェーンや、複数の人々の合議で信頼性をチェックするコンソーシアム方式などがあります。

社会実装に当たっては、そのユースケースに応じてブロックチェーンにはさまざまな使い方があります。その使い方自体にもイノベーションが起きていく世界です。

デジタル法定通貨の場合は、中央に管理者を置くプライベートチェーン方式が一般的だと思いますが、実は、ブロックチェーンを中央集権的に使うと、中央管理者にはユーザーについての極めて精度の高い情報が集まることになります。

デジタル人民元は恐らく、全体主義的な監視のツールとして使われることでしょう。いずれ中国では紙幣はなくなり、通貨がデジタル人民元に一本化されるという話もあります。

たとえばラーメンが大好きなAさんが中国共産党にとって気に食わない人物だとしたら、Aさんが中国国内でラーメンの支払いにデジタル人民元を使えなくするということも可能になるそうです。海外向けには異なる仕様のデジタル円を流通させることになるとは思いますが、いくら便利だからといって、私たち日本人が巻き込まれるわけにはいきません。

「マイナンバーで日本は監視国家になる」というのは大誤解

だからこそ、日本国民にとってはもっと便利な、こっちの方を使いたいと思えるようなデジタル円と、その基盤を国産で創る必要があるわけです。日本では中央銀行ではなく、政府がデジタル円を発行すれば、最新の暗号理論や情報技術を適用することでプライバシーと利便性を両立した上で、マイナンバーで国民の個人情報をビッグデータとして持っている政府がデジタル円をいろいろな情報機能やサービスと結び付けられます。

こうして、これまでになく便利な新しい通貨を、日本が世界初で作る。

そして、その基盤として、中国などとは独立した国産のブロックチェーン共通基盤を日本国内に早く作ろうという考え方が松田プランの根本にあります。

現在、これまでのGAFAなどの巨大プラットフォーマーが中央集権的に支配するデジタル基盤ではなく、ブロックチェーンに基づく真に自律分散型の「WEB3・0」への新たな流れが台頭しようとしています。私は、これを日本の国内共通基盤として発展させ、その上に官民の多種多様なブロックチェーン・コミュニティが花開く姿をめざしています。

松田プランのデジタル円も、その基盤の上で発行することを想定しています。

ただ、日本のマイナンバー制度自体が国民監視のツールではないかと心配される方が多数いらっしゃいます。その方々にまず申し上げたいのは、自分の個人情報が中国共産党に行くのと日本政府に行くのとでは、どちらがいいですか？ということです。

マイナンバーを恐れる方々も、日頃からＬＩＮＥやインターネットで供給される様々なサービスを何も考えずに使っておられます。Amazon など、自らの消費情報から自らの趣味嗜好に合った商品を提案してくれるから、とても便利ですね。なのに、マイナンバーとなると突然、警戒するというのは、日本政府がよほど信用がないということでしょうか。

個人番号制度はほんどの先進国で日本よりもはるか以前から営まれているもので、個人ＩＤがなれば生活もできないという国々も多数あります。しかし、日本では戦時体制の軍国主義のトラウマがあるためか、国家が国民生活の隅々まで監視するという、自由主義、法治国家の日本ではありえない幻想にとらわれているのかもしれません。日本だけが個人番号制度の導入が異常に遅れました。

現在、日本のマイナンバー制度は、法律で個人情報の取扱いを厳しく制限しているために、使いにくいシステムになっています。これは反面では、日本国民の見識が高いことの表れかもしれません。しかし、難しい話になるので説明は省略しますが、「ブラインド署名」や「ゼロ知識証明」と言った暗号技術を導入していくことで、不必要に個人情報を与えない認証システムを作れることが分かっています。

当面は、日本政府による個人情報保護政策を信頼して、まずは個人認証インフラを確立し、次世代の個人認証インフラでは高度な暗号技術を駆使して、個人が同意しない限り、一切の個人情報を提供できないインフラの構築を目指すべきだと思います。

２０１６年から施行されたマイナンバー制度は、最初は税、社会保険、防災の三分野に限定し、国民の理解を得ながら「小さく産んで、大きく育てる」こととされたのですが、右のような国民感情に対応して、すでに監視国家にはならないさまざまな仕組みが営まれていることは意外と知られていません。

ここでは、次の三点だけ指摘しておきたいと思います。

一つは、日本のマイナンバーの場合、国税当局は税のことしか、年金当局は年金のことしか見られないという、制度縦割りの仕組みを、かなりのコストをかけて採っていることです。他の所管の個人情報を参照したい当局は、個人を特定できない暗号化されたデータでしかやり取りできません。自分の個人情報のすべてを把握している役人は政府には一人もおらず、全部分かることができるのは本人だけということになっています。

もう一つは、マイナンバーカードの機能は本人確認機能と電子署名だけで、誰かがそこから芋づる式に個人情報をどんどん引き出すことはできません。

さらにもう一つ。世の中に１００％のセキュリティというものは存在せず、インターネットがそうであるように、どこかで割り切りをして使わなければ何もできませんが、日本のマイナンバーのセキュリティレベルは国際的に最高水準の格付けになっているそうです。

それでも、さらに前述のような現代暗号技術を駆使して、仮に万一、国（もしくは一部の職員）に悪意があって、現在の仕組みを変えてまで国民を監視しようとした場合でも、そもそもそういうことが不可能な認証システムにしてしまう。このことはこれからやるべき課題だと思います。そうすれば、どんなに疑心暗鬼な国民からでも政府に対する100％の信頼が醸成できると考えています。

日本では毎年三月が近づくと、確定申告の膨大な事務作業で憂鬱になる方が多いと思いますが、IDがなければ商売もできないまでに個人番号制度が進んだいくつかの国々では、この確定申告がたった5分で終わるそうです。各個人や企業の所得を把握している政府が確定申告書を作ってくれて、本人はそれに同意すればサインをするだけだからです。

ここまで徹底する必要があるかどうかは別として、いくら便利だと言っても、マイナンバーに限らず、そもそも何もかもデジタル化していくのか、と、反発心を持つ方々は日本では多いと思います。しかし、松田プランは何も、国民全員にデジタル円の使用を押し付けるものではありません。その思想自体が個人の自由な選択を基本にしています。

デジタル円が便利だ、使いたいと思う方が使えばよく、中国とは異なり、日本の場合は将来的にも、紙幣などの現金や預金通貨という選択肢は残ることにしたいと思います。

最近、健康保険証に代わってマイナンバーカードの使用を義務付けるといった話が出ていますが、こうした強制措置には反対です。これでは全体主義でしょう。

ただ、紙幣や健康保険証などの印刷物は、高精細のカラープリンタなどの普及で、財務省の国立印刷局の製造技術と民間の偽造技術の技術的ギャップがどんどん小さくなっているようです。松田プランは、暗号技術などの新しい技術（鍵長を長くすればいくらでも安全にできる）で個人認証や資格認証について完全に信頼できる技術を採用することを前提にしており、安心して利用できるインフラを社会に実現することになると考えています。

それでもデジタルはイヤだという方におかれては、本書を以下へと読み進めてみてください。同じデジタル化でも、それをどのような設計思想で進めるかによって、社会のあり方は大きく異なってきます。この点で、私や参政党の立場は、あくまで人間中心のアナログの世の中を実現するためにこそ、デジタル化をその手段として活用するというものです。

まず、この点を明確にしておきたいと思います。これがないと、おかしな方向に行きかねません。こうした立場で描かれるのが、松田プランがめざす人間復活のルネサンスです。

「人間が中心にいる経済と社会」を新たに創り出すために

私は、国の制度であれ経済社会の仕組みであれ、何事も巨大化したシステムの中で生きていかざるを得なくなった時代にあって、いま最も重要なテーマが、「人間を取り戻す」ことだと考えています。先に述べた、人間ではなく担保などのデータしか見ない銀行員の話も、検査データしか見ずに人間をトータルな人格として扱わない医者の話もそうです。どんなにＡＩが発達しても、ＡＩがすべてを決める世の中にはしたくないものです。

松田プランは、「人間を取り戻すための新しい仕組みの提案」です。

私が「デジタル化を徹底的に進めよう」と提言しているのは、人間の人間たる豊かさを取り戻すためです。私たちは毎日、朝起きてから夜寝るまでの間、経済的には金利に支配され、時間的には無数のルーティンワークに圧倒されて生きています。

たとえば「単なる手続きのためだけの書類」をたくさん書いて、本人確認のために自分の氏名と住所、電話番号やメールアドレスなどを、様々な手続きのたびに、何度も何度も書いては判こを押し、もうほとんどルーティンワークのためだけにたった一度の大切な人生を費やしているようなものではないでしょうか。こんなの自動化できないかと思うペーパーワークが仕事の大半を占めている方が多いでしょう。

これを全部電子化してしまうことができれば、自分の時間が生まれます。その分、人間である自分にしかできないことができるようになるわけです。

昔、家電革命が女性をルーティンの重労働から解放しました。かつては冬でも冷たい水をたらいに入れてゴシゴシ、それが電気洗濯機でワンタッチになると、それでできた時間を、子どもや自己実現や社会での活動、働きに出ることに充てられるようになりました。

ブロックチェーン革命は、これをさらに進めることになるでしょう。

私たちはデータの信頼性の証明や契約や手続きに長時間を費やしていますが、全部、自動化されます。AIもそうです。記憶力などに限界のある私たちに代わって、人間だけが生み出せる価値に関わる部分以外は自動的に労働してくれます。

行政手続きなども、区役所に行ったりすると、皆さんとても忙しそうに働いていますが、ほとんどがフォーマット通りの書類手続き。一連の作業すべてをブロックチェーン活用で自動化してしまえば、行政職員たちも、無味乾燥なルーティンワークから解放され、その分、人間にしかできないきめ細かな対人サービスにエネルギーを注げるようになります。

ある福祉事業者から聞いたのですが、介護施設では認知症気味のご老人が用もないのに一日に何十回も職員を呼ぶそうで、介護に携わる方々の疲弊は大変だとのこと。そこに思い切ってロボットを導入したら、ロボットなら何百回でも呼ばれれば行く。介護も肉体的、物理的なケアは、たとえばＡＩ付ロボットに任せ、それで浮いた時間を職員や家族は人間にしかできない精神的なケアに充てる。こうした役割分担が可能になります。

例を挙げればキリがありませんが、ブロックチェーンやＡＩやロボットのフル活用で、人口減少社会の日本が外国人労働者に頼ることなく、人間にしか生み出せない付加価値を中心に生産性を上げていく。これを、人間としての豊かさを取り戻しながら実現する人間中心の新しい「経済の論理」にしたいものです。

松田プランが目指すものは、人間解放。ルネサンスです。人間が人間らしく生きるためにデジタル化を進めるというのが基本哲学です。この一番の土台があるかないかで結果は１８０度違ってきます。

私はこれからの人類文明を主導するのは日本であるという確信を持っていますが、そのデジタル・ルネサンスの中心にいるのが日本です。人口減少社会であるからこそ、これを逆に奇貨として、失業問題などの社会的摩擦が少ない形で実現できることになります。

しかし、この哲学がないと何が起こるか。ムーンショット計画をご存知でしょうか。

そこには日本政府が出している将来像というものが示されていて、デジタルの分野では、将来、人間の頭脳がネットと繋がって、記憶力を始めものすごい能力を獲得したスーパー人間になるというような予測が出されているようです。実際、技術的には将来的に可能なものなのですが、それは人間に求められている人間の姿なのでしょうか?

人間と人工知能を一体化させたら、人工知能を上回る存在になる。だから、将来訪れるシンギュラリティは乗り超えられるなどという人もいますが、それなら人間は何のために存在しているかわからないと思います。

人間は、そんなことのためにこの世に生を受けたのではないはずです。

『鬼滅の刃』は、なぜ世代を超えて人気になったのか?

『鬼滅の刃』という作品がとても流行りましたが、あの作品に出てくる「鬼」というのは、ある意味スーパーマンのようなものです。不死で、過去からの色々な知識を備えていて、どんな大怪我をしても回復するし、どこにも弱みがない。一方で、それに対抗する人間のほうは、どんなに努力を重ねたとしても不完全で限界があり、心身ともに傷つき、弱さを持っています。怪我をしたらなかなか治らないし、そして必ず死ぬ。

しかし、全国の老若男女の心を捉えたのは、そうした不完全な存在である人間たちの美しく儚《はかな》い命の燃やし方だったように思います。あなたが授かった力は弱い人を助けるためのものという母親の遺言を守り、人々を守るために戦って死んでいく人間の姿に感動した人は多いでしょう。

命は有限であるからこそ尊いのだし、完全に近づきたいと努力しても届かない。でも、たとえ自分が死ぬとわかっていても、守るべき者のためには自分の命を懸ける。死ぬことは悲しいけれど、その思いが美しい。さらに、守るべきもののために命を懸けることで、一人の人間としては死ぬけれど、他の人の心の中で新たに生きる。

それこそ平成の世を覆った「今だけ、カネだけ、自分だけ」とは真逆の日本人の精神を思い出し、昭和を回想した年配の方も多かったと思います。こうして人間の素晴らしさを見つめる原点に戻ることが、経済活性化にもつながります。

『鬼滅の刃』は日本だけでなく世界中でヒットしました。世界中の人が持っている心の琴線に触れたのだと思います。日本のアニメ文化の発信力については言うまでもありませんが、これからは日本のやっていることが世界中で注目され、「いいね」で伝播され、それが私が唱えてきた「日本新秩序」となり、参政党の理念である「世界に大調和を生む」ことにつながる。

新たな地球文明を日本がリードする時代は遠くないはずです。

ブロックチェーンで生活の何がどう変わる？

ブロックチェーン技術のどこが革命的なのかといえば、まず人間が中心になる技術という点だと思います。今までのテクノロジーは、巨大なデータが大きなシステムのもとに管理されるスタイルで、これを運営する組織が中心、それこそ「組織本位制」の技術でした。たとえば年金なら年金、あるいは医療なら医療ごとにそれぞれの巨大なデータベースがあって、それぞれを管理するシステムの論理のもとに電子データが管理されている。

これがブロックチェーンになると、データ側が中心になって、データのユーザーの論理でシステムを動かしていく時代が来ます。

私がよく講演で例としてお話しするのは、引っ越した場合のさまざまな煩雑な行政手続きが、ブロックチェーンでどう変わるかの例です。

たとえば、私が大阪が気に入って大阪に引っ越したとします。それに伴い、住民登録から始まって、電気代、ガス代、電話、子どもがいたら子どもの学校の手続きなど、色々なことを、それぞれタテ割りの行政などの仕組みごとに、そちらの都合に合わせて個別にいちいち手続きをしなくてはいけないわけです。

それは役所の各部署や学校や諸機関など、それぞれのシステムの側に人間のほうが合わせて、それこそ自分や家族の名前や住所を何度も書くことから始まって、私たちは手続きに振り回されることになります。ブロックチェーンの時代になれば、これが逆転します。

個々のシステムではなく、データが主導する、そのデータはユーザーのニーズという論理に基づいて、各システムをそれで動かしていくことになります。松田が大阪に引っ越するというユーザーの論理こそが主役であり、ユーザーがどこかで1カ所だけで手続きと支払いをすれば、関連するすべてのシステムが連動して最適の方法でやってくれる。松田の引っ越しという論理に合わせて各システムが動いてくれます。主客が逆転するわけです。

個人や住民、国民が主役の世の中づくりをサポートするのがブロックチェーンです。

これを国民参加型の民主主義を掲げる参政党が推進する理由は、この点にもあります。

Ｗｅｂ３・０のデジタル基盤がもたらす自由で分散型の社会

現在のデジタル基盤はＷｅｂ２・０と呼ばれます。これはＳＮＳです。

この時代になったら分散型になると世界中が期待していたのですが、逆でした。その前のＷｅｂ１・０の世代はホームページを見るだけの一方向の情報提供でしたが、Ｗｅｂ２・０はＳＮＳで双方向の通信になりました。Twitter とか YouTube、Facebook などがそうです。

双方向になったので分散型社会を促進すると期待されましたが、逆に、GAFA（Google、Apple、Facebook、Amazon）とか中国のバイドゥ、アリババ、テンセントなど巨大なサーバーを持ったプラットフォーマーによる中央集権支配になってしまいました。

私の松田政策研究所 YouTube チャンネルも新型コロナやワクチンの医学的に正しい情報を流すたびに、スポンサーであるグローバル製薬利権にとっては不都合な真実だからでしょう、

「間違った医学情報」という、それこそ間違った決めつけで何度も番組削除と制裁措置としての新規配信停止措置の憂き目に遭いました。

こうしたプラットフォーマーは言論の自由まで恣意的に弾圧して、世界中の人たちをグローバルな利権の方向に誘導する武器にもなってしまっています。

まさにグローバリズム勢力にとっては格好の武器。米連邦政府機関がトランプ氏や「反ワクチン派」にとって不利になるように情報操作や言論弾圧をしていた証拠をTwitterについてイーロン・マスク氏が暴露したTwitter Filesが米国では大変な話題になりました。21年1月6日の連邦議会襲撃事件もトランプ氏は実際には襲撃を制止しようとしていましたが、国民から選ばれた一国の大統領である同氏のアカウントが閉鎖されたのは、民間企業に過ぎないグローバルプラットフォーマーが国家主権も民主主義も超えた瞬間でもありました。

YouTubeは毎日、大量の番組を削除していますが、それをアルゴリズムによって行っているのはAIだそうです。人間が何を言ってよいか悪いかを決めるのも人工知能。私たちはすでにコンピュータに支配されている……まさにイギリスの作家、ジョージ・オーウェルが書いた『1984』そのままのディストピアです。

この状態から人間の自由を解放するのが、自律分散型のブロックチェーンに基づく、次なるデジタル基盤であるWeb3・0です。

同じブロックチェーンでも、中国は全体主義の監視のためにこれを使う。しかし自由社会のこちらは自律分散型のウェブ3・0で行く。私は、日本にそのための国内共通基盤を構築することが喫緊の課題だと考えています。

実は、すでにそれは存在しています。Symbolと呼ばれるもので、それ自体は自律分散型であり、この上に、ブロックチェーンが実装された様々な社会の仕組みやコミュニティを簡素な手続きで乗せていけます。それらはパブリックチェーンであろうがプライベートチェーンであろうが、どのような形態のブロックチェーン・コミュニティであってよい。

トークンということでいえば、たとえば地域通貨を出したい自治体とか、あるいは政党コインも考えられるでしょう。それぞれの特定の人たちが「これって素晴らしい価値だね」と思えば、そこでトークンが発行されて流通し、それぞれの小さな経済圏ができます。

たとえば私はチェロを弾きますが（私のチェロは市場経済では全然売れませんが）、これをネットで配信すれば、世界中からマツダのチェロは「いいね」という人が出てきて、その人が1ドル投げ銭をしてくれれば、私はそれに対してマツダコインを発行する。そういうファンが世界中で増えれば、松田コインによる経済圏ができるかもしれないわけです。

こんなふうに、自分が生み出す価値に共鳴する人々の輪が生まれれば、誰もが独自の経済圏を作れる可能性があります。子ども食堂を運営している人に対して「いいね。応援したい」という賛同者が増えれば増えるほど、その価値に共鳴する人たちの間で特定のコミュニティができ、やがてそれが経済圏として成り立っていくことが考えられるでしょう。

共通のブロックチェーン基盤さえできれば、そうしたコミュニティ作りは簡単にできるようになります。こうして多種多様なコミュニティが生まれ、お互いに自立、分散しながらも、繋がりたいところと自由に繋がっていく（クロス・チェーン）というイメージです。

私はこのWeb3・0ブロックチェーン共通基盤の上に、それ自体は中央集権的な政府システムであるマイナンバー制度と松田プランのデジタル円を乗せることを考えています。

次なる新たな社会は「協働型コモンズ」

こうしたブロックチェーンの仕組みが支えることになるのが、市場経済における競争の論理の資本主義社会とは異なる、人間中心の協働の論理を基本とする次なる社会、「協働型コモンズ」だと私は言っています。それが資本主義の外側から社会全体を支える基盤になっていくことを未来像として描いています。

前述のように超長期の視点でみれば、AI革命で生産性が飛躍的に向上する未来社会では、市場経済での付加価値生産活動をAIやロボットが担う分、産業界に居場所を置き続けることができる人間は大きく減っていくでしょう。

かつて古代ギリシャでは生産活動は奴隷が担うものとされ、ポリスの市民たちは政治や軍事や文化活動などに明け暮れることができました。未来社会では、その奴隷に相当するのがＡＩやロボットだとすれば、多くの人間は遊んで暮らせることができるようになる。いずれ人類社会は「超ヒマ人」社会になると言う論者もおられます。

では、産業社会からあぶれ出たその巨大な人口層は、どうやって食べていくのか。

ここで出てきた考え方が、老若男女を問わず、国民全員に毎月一定額を支給するベーシックインカムです。しかし、競争社会でＡＩで儲けた長者たちから税金などで徴収して分配されたおこぼれで遊んで暮らすだけの人生で、人々は本当に幸せなのか。

生産力が大きく向上した未来社会で待っているのは、そういう根本問題でしょう。人間は何らかの付加価値の創造に携わることで社会とつながってこそ幸せというもの。だからこそ、自ら生きがいを追求することで価値を生み出し、それに共鳴する人々がお互いに生きがいを支え合うという協働型のコミュニティがどうしても必要になります。これを経済的に支えるのがブロックチェーンであり、その上に花開く「トークン・エコノミー」です。

スマホ1台ですべてのことが可能になるブロックチェーン革命

これは決して私が想像だけで勝手に描いている夢物語ではありません。

私はその実現のための実業にも携わっています。たとえば、これから導入されるスマホマイナンバーアプリを技術的に可能にし、その普及のために2021年には一般社団法人「デジタルアイデンティティ推進コンソーシアム」を立ち上げました。

参政党代表就任に伴い代表理事は退きましたが、現在も理事として、究極的には松田プランを理想的な形で実現するデジタル基盤の確立をめざしています。一緒にこの社団を立ち上げた仲間は、本技術を開発した日本の最先端の情報セキュリティの学者たちです。2020年に彼らの技術を私が与党や政府に持ち込んだところ、政府が飛びついてきて、21年に成立したデジタル改革関連法の中で所要の法改正が行われました。

23年中には皆さまのスマホ（さしあたってはアンドロイドから）にマイナンバーカードのアプリが実装できるようになります。すると、スマホ一台で本人確認（電子署名も）が安全にでき、今までのような、自分がほかならぬ自分であることを証明するために何かをするたびに必要だった本人確認のための面倒な作業が、ワンタッチ、一瞬でできる。

これがスマホでできるために必要なのは、マイナンバー制度と同レベルのセキュリティがスマホで確保されることですが、私たちの技術はこれを可能にしたものでした。

デジタル社会の基盤中の基盤になるのが「認証機能」です。逆にいえば、この部分がきちんとしなければ、安心してデジタル社会を拡大できません。

現在はＩＴのサービスごとにそれぞれのパスワードで本人が認証されています。自分は百ぐらいパスワードを持っていると言う方もおられます。それを忘れずに管理するだけでも大変。ご高齢の方がデジタルになじみにくい大きな理由の一つが本人確認の複雑さに由来するものです。官民どんなサービスを問わず、これをマイナンバーという信頼性の高い公的な認証基盤に一本化できれば、ユーザーにとっては大変便利な世の中になるでしょう。

ですから、私たちの社団の最初の重要な仕事は、政府だけでなく民間のさまざまなサービスでもこの本人認証機能が活用されるよう、ユースケースを拡大することにあります。

日本はデジタル化では多くの国に後れをとっていますが、人口１億２５００万人という巨大なベースでこうしたことを実現したケースは、まだ世界中にないようです。これで日本は世界に対して大きな優位性を手にすることができます。

日本がデジタル民主主義の基盤づくりで最先端になる基礎もできることになります。

スマホだけで本人確認ができるということは、私がほかならぬ松田学であることの確認が高い信頼度で瞬時に行えることを意味します。ここが確立されれば、次のステップのブロックチェーン革命を日本全体で本格的に展開できるようになります。

ブロックチェーン社会は第三者による情報改ざんができない社会。完璧な本人確認と情報の真正性が合わさって、自分という存在がどの巨大システムにも依存しない独立のものとして確立される。このことが「自分が主役」の世界に繋がっていくのだと思います。

この上で展開するのが信頼性と安全性の高いトークン・エコノミーです。

そこには、政府発行の法定通貨としてのデジタル円もあれば、自治体や民間や個人が発行する様々な種類の○○コインというトークン（電子的代用通貨）もあります。

それらが自由に行き交うことで、様々な価値創造が経済的に成り立つ多種多様なコミュニティが、日本中に百花繚乱の如く展開していく姿をご想像していただければと思います。

マイナンバーと結びついたデジタル円については、個人の消費情報が政府に把握されてしまうことに抵抗感があるかもしれません。現にYouTubeやAmazonがユーザーの個人的な嗜好を反映したプッシュ型のサービス提供をしていますが、このことに抵抗がない方でも、自分がどこで何に支払いをしたかを政府が把握できることを嫌がるかもしれません。

この点については、政府がそうした情報にアクセスすることに対して明確な制限をかけるべきでしょう。そもそも個人情報保護の仕組みのもとでは、個人情報の目的外使用は禁止されています。ここでさらに重要なのは、自分の個人情報を誰がいつ閲覧し、使用したかを、本人がチェックできる体制をきちんと仕組むことです。

ブロックチェーンでなくても、たとえばＩＴ最先進国とされるエストニアではそのような体制が確立されています。例外は犯罪捜査（捜査当局が関連する個人情報を閲覧したことが本人にばれると証拠隠滅される）ですが、それも、犯罪が起訴されて裁判となった段階で、どんな個人情報を使ったかは開示されるそうです。

自分で自分の個人情報の使われ方をチェックできることが、デジタル社会の基本だと思います。それぞれが自立した個人データが主導する自律分散型WEB3．0のブロックチェーンこそが、それぞれに最も適合しているといえるでしょう。ブロックチェーン共通基盤のところで使われるセキュリティ技術は、その上に乗るマイナンバー制度のセキュリティとも矛盾なくつながることができるものであると、専門家から聞いています。

未来の新しいお金（代用通貨《トークン》）ってどんなもの？

ブロックチェーンのような暗号技術で発行、流通する新しいお金は、トークン（token）と呼ばれます。デジタルの世界の代用通貨と考えてください。

種類は2つあります。一つは、一般的にどこでも使われることを想定しているペイメント・トークンです。一応、ビットコインなどの仮想通貨（暗号資産）もそうですが、現在の多くの仮想通貨のように価格が大きく変動するのではなく、ドルなどの法定通貨とリンクしていて価格が変動しないステーブルコインも基本的にはペイメント・トークンです。

かつてFacebookがステーブルコインであるリブラを、ドル建て金融資産などをバックに発行しようとしましたが、これが既存の法定通貨と競合すると金融や経済が混乱することを恐れた各国の通貨当局が、事実上、阻止してしまいました。ただ、ドルをバックにして価格が変動しない仕組みになっているステーブルコイン自体は、ほかにも存在します。

今中国が進めている中央銀行発行のデジタル人民元などのCBDCや松田プランのデジタル円は法定通貨ですから、もちろん、誰もが使うペイメント・トークンです。

トークンを法定通貨とみなしてよいかという議論はありますが、国家の通貨発行権の対象は何も紙幣や硬貨に限られないと考えれば良いと思います。それらを電子的な形で発行しているのだとみなせば、「代用通貨」から「代用」が取れて「通貨」になります。

もう一つはユーティリティ・トークンです。こちらはペイメント・トークンとは異なり、特定のサービスや特定の価値に共鳴し、評価する人たちの間で流通するトークンです。

その価値に共鳴する人たちの輪が広がれば広がるほど流通範囲も広がりますが、あくまで、それを受け取りたい、受け取ってよいと思う人たちの間で流通します。国家とは関係なく、特定のサービスや価値を共有するコミュニティの中で発行、流通されます。

すでに皆さんは様々な形でポイントを使っていると思いますが、その進化系のようなイメージです。日本人はポイント大好き国民なので、意外と早く定着するかもしれません。

トークンにはさらにもう一つ、それ自体が金融商品であるセキュリティ・トークンがあります。配当などが得られる証券などの金融商品をデジタル化したようなものとイメージしていただければと思いますが、本書では話が複雑になるので説明は省略します。

ブロックチェーンもイメージが湧かないという方が多いかもしれません。

すでにブロックチェーンには三つの特性があることは述べましたが、その一つである改ざん不可能ということの意味を分かりやすく言うとすれば、それは暗号の入っているブロックの鎖とでも言ったらいいでしょうか。

最小単位として3つのブロックを想像してください。前のブロックの中に入っている様々な電子データから、特定の計算式で暗号を計算します。そして、その暗号に基づいて次のブロックが作られる。さらに、真ん中のブロックから導かれた別の暗号に基づいて、後ろのブロックが作られるという仕組みです。

真ん中のブロックに入れられている情報は、前のブロックと後ろのブロックそれぞれの複雑な暗号計算と整合的になっているので、誰か第三者がその中の情報を改ざんしようとしても、整合性が崩れてすぐに発覚してしまいますので、改ざんは不可能です。

金利つきのマネーという束縛からの脱却

この未来のお金が今までのお金と大きく違う点は、今までのお金は銀行が信用創造によって生み出すものであったという点にあります。前述のように、お金は、銀行から借金という債務を背負った者が金儲けをして金利とともに返すことができないと生まれない、つまり、儲けなきところにお金無しという、まさに資本主義のお金です。

これを「金利付債務貨幣」と言います。資本主義経済は金利に支配された経済ということになるわけです。私たちは、一生涯金利を返すために生きているようなものです。

政府が国債発行による財政支出でお金を生み出す場合でも、国債には金利がついており、これも金利付債務貨幣。とにかく金利、金利……に制約されて、私たちは一生を何か大きな強制のもとに生きていて、人間らしい、自分らしい人生を生きられない……。

これに対して、未来のお金であるトークンは、金利とは無関係に生み出されます。特にユーティリティ・トークンは、金利というものが象徴するさまざまな束縛から解放されて、特定の人たちが共鳴してさえくれれば、自分らしい生き方を見出せる。そんな人たちのための、もっと自由な時代のお金だといえるでしょう。

ペイメント・トークンである中央銀行発行のＣＢＤＣや松田プランの政府発行デジタル円についても、これまでの金融政策の限界を克服して、市中マネーを思い通りに増やせるという利点があります。政策当局が自ら発行できるお金であれば、これまでのような、貸付先の金儲けの状況によって発行量が決まる信用創造を通さないと増えなかったお金を、政策当局の考え通りに増やすことができるようになるからです。

今までの仕組みではお金を増やしたくても増やせなかった日銀総裁は可哀そうでした。日銀がCBDCを発行してベーシックインカムを国民に配れば、それがそのまま市中マネーの増大につながるという提案をしている学者もいます。私は、これを政府発行のデジタル円でやれば良いと思いますが、まだ、政府や日銀が思い通りにお金を発行することに踏み切るには、議論が成熟していないでしょう。だから、まずは、民間の両替需要に応じて、政府が受け身の立場で発行するデジタル円から始めてみてはというのが私の提案です。

トークン・エコノミーへ、日本人のオタクが近い将来きっと世界を変える

ブロックチェーンは奥の深い技術で、しかも今はまだ黎明《れいめい》期の技術です。だからこそ、ITやデジタルで後れをとった日本にも挽回のチャンスがあるはずです。

この技術は日本人のように手先が細やかで、創意工夫をいとわないオタクの多い国では、その使い方のところからイノベーションを起こせます。

このブロックチェーンを何かの課題解決に使ってみよう、たとえばエネルギーのシステムに使ってみようと考えて、今、挑戦している人がいます。

エネルギーを、スマート電源という形で、ギリギリまで節約しつつ、環境負荷も下げ、最高

の効率で利用する最適解を求めようとする場合、どのようにブロックチェーン技術を応用できるかということを考えて、それまでに存在しなかったブロックチェーン技術を生み出してイノベーションを起こしていくことなどができるわけです。

そのエネルギー技術への応用に挑戦している方は、ついつい夢中になって徹夜してでも研究し、何か新しい発想が出てきたときの喜びはたまらないと言っています。

こうした没入型の研究というのは、ある意味日本人の得意な分野ではないでしょうか。

この方は、人間の内心である感情をＡＩを用いて定量化し、それに基づいて発行する「気持ちトークン」まで開発しました。そして、このトークンを「みとりコイン」に活用する企画があります。これは人生の最期を家族などに看取られながら迎える瞬間にその場で共有される、なんとも言えない感謝の気持ちや幸福感をバックにしたトークンです。

ちなみに、これからの日本が超高齢社会とともに迎えるのが、団塊世代の方々がたくさん亡くなっていく「多死社会」だとされます。これまで正面から向き合うことを避けてきた「死」というものを、いかに「幸せな死」にしていくかというテーマは、大きな関心事になっていくでしょう。すでに多くの方々が「看取り師」の資格を有し、これを支えるボランティアの方々が全国に何万人もいらっしゃるそうです。「みとりコイン」は、こうした看取りの価値に共鳴する人々の間で流通することが想定されています。

いずれにしても、日本は世界の国々がいずれ共通して直面することになる人類共通の課題に最初に直面する「課題先進国」。日本人の国民性や特性を活かしてブロックチェーン技術にさまざまなイノベーションを起こしつつ「課題解決モデル」を生み出していくことで、色々な分野で日本が世界標準を取っていく可能性に満ちているのではないでしょうか。

しかも、ブロックチェーンによって今後築かれていくコミュニティは、和と調和と協調という日本人の国民性にもマッチした世界です。日本新秩序がこれからの地球文明をリードしていく上で、この技術の可能性は極めて高いと考えています。

今、中国は一帯一路戦略によって世界中にその全体主義的覇権を広げようとしています。これから先の世界は、こうした全体主義やグローバリズムの世界と、分散型で多様性に富んだ自由社会とに分断されていきます。その中で、自律的で共存し合うという価値観にマッチして発展していくWeb3・0のブロックチェーン社会こそは、「八紘為宇《はっこういう》」のような調和を求める心性や思想のもとに長い歴史を営んできた日本人が担うのがふさわしい。

世界の最先端課題に対して一人一人の国民が向き合い、それぞれのコミュニティが挑戦して解決モデルを組み立てていく。これは色々な意味で若い人に夢を与えるものです。

売れっ子の論者ほど危機を煽って注目されるものですが、それでは人々は悲観的になるだけ。私の講演の際によく聞くのは、日本には希望があると元気づけられたという声です。

ブロックチェーンは「日本再興」へのカギになるものだと思います。

情報技術が支える次なる社会と、参加型民主主義の仕組みづくりへの挑戦

次なる社会を具体的に示していくことは、これからの政治のあり方としてとても大事だと考えています。幾百のスローガンを言葉で唱えるだけでは、有権者の政治参加は進みません。本来、選挙とはそれぞれの党が未来を競い合うこと。わが党はこういう未来を創るということを具体的な事業として実現してこそ、選択肢が明確化し、そういう未来に投票したい、未来づくりに参加したいという形で参加型民主主義が発展するものだと思います。

参政党はブロックチェーンとコミュニティを政策の基盤として掲げています。党員の中には、ブロックチェーン技術をどう適用するかという課題に挑戦している方々もいます。

ブロックチェーンを基盤として課題解決をしていこうという政治の動きは、日本だけではなく、米国の共和党にもみられるようです。2022年12月にシーパック（CPAC）ジャパンという、世界の保守勢力が集まるコンベンションが東京で開催され、私は新たな参加型民主主義をブロックチェーンやメタバースで実現するというテーマで講演しました。そうした機会を通じて分かったのは、米国共和党も同様の取り組みを考えていることです。

共和党としては2020年の大統領選挙の際にも話題になったように、民主党側の選挙不正

に怒っていて、改ざん不可能なブロックチェーン技術を応用した投票関連システムで不正を完全に防ぎたいという意向があるそうです。これは、グローバリストに支配され、言論弾圧やワクチン強制を支えてきたGAFAとは異なる独立した基盤作りを意味します。

これから彼らと参政党とが協力体制をとって、それぞれのブロックチェーン基盤を作り、それぞれは独自のものですが、連携できるような仕組みのものにできればと考えています。

そこにメタバースを組み合わせることも考えています。参加型民主主義といっても、膨大な数の国民の間で合意をつくることは容易ではない大課題です。それを助ける最先端の情報技術としてメタバース空間を活用できるのではないか。

一部には、将来、政治はAIが担うべきだという議論があります。人間は間違いをおかすし、権力は腐敗を生むし、民主主義のもとでもナチスが台頭した歴史があった。これに対し、どんなに政治的意思決定が複雑化しても、そこに最も合理的に最大多数の最大幸福の答を導き出せるのはAIだ。人間が決定したことには従いたくない人でも、人間を超えたAIによる決定なら「神のご託宣」のように納得して従えるようになる……。

こんな議論が、かつて私が参加した情報技術の研究会で専門家から提起されたことがありました。最近でもそんな主張をする論者が受けているようですが、いくら現在の政治に絶望しても、これではディストピア。暴論です。研究会で私は真っ向から反論しました。

前述の「鬼滅の刃」が示すように、たとえ不完全な存在であっても、人間には人間として生きる価値がある。政治に参加することは、そうした人間としての営みの中の本質的な部分です。ときに誤ることがあるかもしれませんが、そのプロセスを通じて学びを重ね、共鳴と調和を生み出していくことにこそ、人間としての生きがいを見出さねばなりません。

メタバースもあくまで仮想空間（バーチャル）の世界です。人間の営みである政治的意思決定を助ける手段に過ぎません。使い方を誤るとおかしな方向に暴走しかねないと思います。ですから、現実のリアルな意思形成との間で不断のフィードバックを行いながら、試行錯誤を重ねて、何らかの新しいルールを形成していくという大きな挑戦です。

参加型民主主義の仕組みづくりに携わる参政党こそが、まさにそのような場になることをめざしたいと思います。党員として多くの皆さまが参加するようになればと思います。

このメタバースももちろん、国産で考えています。すでにその担い手となる日本の事業家と連携を進める方向になっています。決してザッカーバーグ製ではありません。

ここでも決定的に重要なのが、本人確認のための信頼できる認証基盤。仮想空間に「なりすまし」が入ってしまうと、意思形成は大きく撹乱されますし、将来的に考えられる電子投票なども不可能になります。ここは前述のデジタルアイデンティティ推進機構の出番。

この部分に実業として携わる立場の私としては、認証基盤を軸に、前述のWEB3．0のブロックチェーン共通基盤とメタバースを組み合わせた「三位一体」を想定しています。

そこでは、参政党が実現しようとする価値に共鳴する党員や支持者のコミュニティで流通するトークンが支える経済圏を創りたいと考えています。たとえば食と健康という党の政策実現に向けて、国会や地方議会での政治活動だけではなく、「安全で健康にいい食」をビジネスとして成立させ、参政党トークンを発行し流通させることが考えられます。

そこに数十万人のマーケットが成立すれば、食以外の商品も流通網に乗せられるでしょうし、流通販売、消費の循環ができることになります。この参政党経済圏での実証実験をビジネスとして継続的に維持・発展させていけることになれば、そこで食べていける人々も生まれてくる。こうして日本全体を変えていくのも、新しい政党のあり方だと思います。

そして、こうしたトークン・エコノミーに加え、前述の民主主義の政治基盤も含めた、新しい自律分散型の未来社会づくりを進めるのが参政党の使命だと考えています。

地域創生のカギとなるブロックチェーン革命――K市との協働

すでにブロックチェーン革命への気運は日本各地でも高まっています。地方では「地域通貨」の発行を模索する自治体も増えています。

たとえば私が関わっているK市には、市街で無料で利用できるカートがあり、それで観光地などをぐるぐる一通り回れるようになっています。

そこで、スマホマイナンバーが実現した際には、カートに乗る人を、スマホでワンタッチでK市の市民と市外の方とで区分けし、市民であれば利用時にポイントをつける。

同じように、ボランティアで道の掃除をしたとか、子どものために図書館で読み聞かせをしたというような、K市にとっていいことをした市民には、市からポイントを出す。自分がやったボランティア活動がポイントに換算されてスマホに溜まっていく。

そして、K市の振興というバリューに共鳴しているお店が、そのポイントに応じて割引をする。そうして、従来の観光資源に加え、K市はいいことをやってるね、という評判が広がると、そのポイントを市外の方が買ってK市を訪れるようになり、K市の収益になる。

ここにブロックチェーンを入れてポイントを運営し、いずれは「Kコイン」という、地域通貨に繋げていく。

これはふるさと納税の仕組みとも共通する部分があります。将来的には地域通貨というユーティリティ・トークンの購入で地方への寄付が行われるかもしれません。

もともとK市とのご縁は、私が以前「いま知っておきたい『未来のお金』の話」（アスコム）という本を出版し、その内容の講演をした際に、たまたま聞きに来られていた実業家が「それはまさにK市でやろうと考えていたことだ」ということから始まりました。

その方は、K市の振興に取り組む名門企業の社長です。地域創生は公共的な仕事ですが、実際には行政だけではできないようです。まずは市長さんの熱意、そして、ややもすれば補助金狙いで県や国の縦割り担当部局のほうばかりをみていがちな自治体職員が市長にどこまでついていくか、そして地元の民間企業がどこまで自らの事業として市長の理念を共有して取り組もうとするか、この「三位一体」が地方創生の必要条件です。

K市の場合、その社長さんが実に熱心に取り組まれていて、色々な企業のコンソーシアムを作るために動いています。経済界の助けがないと地方創生はうまくいかないものです。

K市の課題や強み弱みをよく分かっている企業があったからこそ、農業やエネルギーから、市内の交通手段などを組み合わせた事業複合体への動きが生まれました。そこで共通して使えるコインの開発という次の段階の夢を実現するためにご協力したいと思います。

「人を動かすストーリー」を作れるか？

人間が何か行動を起こそうとする、あるいは起こさせるカギを握るのが、自分が納得できる何らかのストーリーがそこにあることです。

私たちは誰もが、小さい時にお母さんやお父さんから絵本を読んでもらっては、物語の主人公に感情移入して、主人公を演じる経験を積み重ねて育っています。こうしたストーリーの中で、自分はこういう役割なのだと納得できると、安心して行動に移せる。人間はどうやらそういう存在のようです。だから、とにかくストーリーを創ることが大切。

日本経済の再生のためには日本の国の物語が大切だということは前述したとおりですが、これは地域創生もそうです。しかも、その地域ならではのオンリーワンのストーリーであれば、より一層、多くの人々を惹きつける求心力が出てきます。

この町にこんなストーリーを組み立ててみる。ブロックチェーンが導入されていない段階では、そのストーリーに共鳴したり参加したりしたい人には、まずはポイントを提供する。そして、ストーリーが一つ一つ実現していくたびに、それが生み出すイベントやサービスと、そのポイントを結び付けていく。これをいずれ、ブロックチェーン化し、ユーティリティ・トークンの形で流通できるように育てていく。

すぐに実用化できそうな「ボランティア・トークン」

もう1つわかりやすい事例をご紹介しますと、介護ボランティア・トークンという考え方があります。たとえば介護資格のある人が訪問介護に行った場合でも、介護資格がある人でないとできないこと以外に、色々な用務をするケースがあります。でも、その部分までやってると、どうしても1日あたりの訪問件数は減ってしまう。

そこで、介護資格のある人には資格を持つ人しかできない専門的なことだけをやってもらい、その他の介護にまつわる用務はボランティアをつけて担っていただく。そしてボランティアで介護を助けてくれた方にはポイントをあげることにします。

受け取ったポイントは、自分が将来介護を受けるようになった時や、その前の時期でも、自分の親が介護サービスを受ける際に、介護ボランティアに来てくれた人に渡していく。

そもそもボランティアは、市場経済では金銭化されませんので経済的価値としてはゼロです。しかし、ボランティアの方々が提供するサービスを享受する人々にとっては大きな価値があるはずです。ポイントが介護ボランティアというサービスと結びつくことで、このポイント自体に価値が生まれます。

ボランティアにとっては、こうしたポイントは自分が社会的な価値に貢献した証《あかし》であり、それ自体が励みになるだけでなく、将来において、自分自身がサービスを受けられるというメリットを得ることになります。これはボランティア活動のインセンティブにもなり、社会貢献活動を広げて活性化するでしょう。

こうして価値を持つことになったポイントをブロックチェーン管理すれば、ユーティリティ・トークンになります。この事例は、トークン・エコノミーが、価値ゼロの「無」から、経済的な価値としての「有」を生み出す仕組みであることを示すものです。

介護以外に、災害ボランティア・ポイントなども考えられるでしょう。激甚災害の現場では、災害現場に来てもらっても管理がきちんとできていないので、有効にボランティアを活かしきれてないケースが多いようです。でも、ブロックチェーンでポイントを管理すれば、「この人は過去にどういう災害現場でどういう活動をした経験があるか」といったことが記録されているので、実績や適性もすぐにわかり、「じゃあ、これやってください」ということになります。これも何らかのサービスと結びつけてトークン化する工夫ができる分野ではないかと思います。

想像力をたくましくしてトークン・エコノミーの未来を考えよう

いずれにしても、こうして人々の共鳴共感だけで生まれる価値は、ブロックチェーンに組み込まれることで、時代が変わっても減らない、その人が生み出した価値として永久に確定することになります。その人は、使いたい時に最も有益な用途で使えばいいわけです。

法定通貨は日本経済の状況によって価値が変動しますが、トークンは実際のサービスなどと直接結びついているので、それを用いて一定の価値を享受し続けることができます。私たちの手の届かないところで起きる大きな変動に振り回されることのない、その意味でも自由な価値保全の手段ともいえます。

トークンをトークンどうしで交換したり、法定通貨と交換することも、将来的には考えられるでしょう。現在では税金とか、投資家保護のための規制の問題などがあります。

将来に向けてトークン・エコノミーを飛躍的に発展させるためには、こうした問題を克服していかねばなりませんが、その先のことを考えてみると、多くの人々の共鳴を得ているトークンであればあるほど、その交換レートが高くなる世界が待っているはずです。

恐らく、世の中に無数に存在するトークンが、現在の為替市場のようなマーケットを形成し、ＡＩが交換レートを計算するとともに、トークン同士のマッチング機能も果たすことになるのではないかと思います。

ユーザーとお店、すなわち使いたい側と受け取る側の価値観の違いが当然あります。それぞれのトークンは特定の価値を体現していますから、人々の価値観の違いによって、その評価も千差万別でしょう。支払いで使う人の側の価値観の優先順位と、受け取るお店のご主人の側の価値観の優先順位とが、スマホどうしでＡＩによってすり合わせられ、相互が納得するトークンが選ばれ、相互が納得する価格で支払われる。

これがＡＩによって瞬時に行われることになるのではないでしょうか。

情報技術の発展は、私たちが想像もしない世の中を私たちが生きている近未来に実現するものです。これまでもそうでしたし、今後はもっとそうでしょう。ブロックチェーン革命の時代には、頭を柔軟に、想像力をたくましくして、未来社会を考えることが必要です。

ただ、日本社会ではブロックチェーンはまだ日陰者扱いです。

数年前には、いくつかの大手のＩＴ関係の企業では、ブロックチェーンの応用研究のチームができたりしたのですが、その多くはうまくいっていないようです。何かを目的に組織だってやることが向いていない技術だからかもしれません。

そうではなく、趣味の延長で好きなように、あーでもない、こーでもないとやってるところから、何か想像しないものが出てくる。そういう世界なのだと思います。

日本でも若い世代の間には、その予兆が芽生えているようです。

ブロックチェーン開発者協会の会長さんは私の仲間の一人ですが、彼は霞が関から日本で初めてブロックチェーンで補助金を取った人で、テーマは海産物のトレーサビリティでした。その際の経験では、20代30代の若手官僚たちが、すごくブロックチェーンをやりがたがっているそうです。あのガチガチの組織本位制の官僚の世界でもそうなのです。

ところが、40代以上の管理職以上になると、とたんに「ブロックチェーンってビットコインのことか?」とか「仮想通貨だろう?そんなの信用できないよ」になってしまう。私が松田プランについて霞が関や大企業のトップを務めたようなＯＢエスタブリッシュメントたちのクラブで講演した時の反応も、一部を除いて概ねこんな感じでした。

それこそ4章で述べた戦後システム下の「組織本位制」社会の軛から離れた自由で創造的な挑戦者たちの世界が、日本経済再興のカギを握っているように思います。参政党はそうしたコミュニティをバックアップし、先導していく場になりたいと思っています。

令和時代における世界の潮流の大転換

ここで少し全体的なまとめとして、日本経済再興の道を、世界の大きな潮流変化と関係づけながら整理してみたいと思います。

前述のように、平成の30年の世界経済を支配したのは、①グローバル化、②ＩＴ革命、③金融主導（↓のちに世界の中国化へ）という3つの潮流でした。これにうまく適応できなかったことが平成の30年における日本経済停滞の大きな要因になりました。

ところが、令和の時代に入って以降、これら3つの潮流は、①グローバル化は世界の分断化（ブロック経済化）へと、②ＩＴ化はインターネット革命が中心でしたが、これはブロックチェーン革命へと、③金融主導は電子データ主導へと、潮流の逆転ないしは変質が起こり始めています。今度は私たちが、日本自らの強みを徹底的に活かして、この潮流変化を主体的に自らのものにする番です。

日本にはそれができるチャンスが到来しています。

①世界の分断化は、大きくいえば、G7を筆頭とする民主主義諸国圏と、中国を筆頭とする非民主主義諸国圏との間の分断です。グローバル化の中で価値観が相容れない国々が台頭すれば、必然的に分断が起こり、私たちは市場での自由競争という軸だけでなく、経済安全保障という、本来は市場経済とは矛盾する軸を持たねばならなくなりました。それがハイテク分野を中心に米中新冷戦の形で現れています。

さらに、コロナ禍で私たちが直面したのは、危機において人々の最後のよりどころになるのは国家だということでした。国民の命に関わる物資を完全に他国に依存していることのリスクを私たちは痛感しました。重要物資はグローバルなサプライチェーンではなく、ひとところ国産でガッチリやっていくことが大切になっています。

世界の分断としては、もう一つ、グローバリズムとナショナリズムという新たな分断も発生しています。これは国と国との間だけでなく、各国の内部でも生じている分断です。

図式化していえば、「グローバリズム＋民主主義」がG7秩序、「グローバリズム＋非民主主義」が中国秩序（中国では特に江沢民・上海派）、「ナショナリズム＋非民主主義」がロシア（中国では習近平派）、そして新たに誕生したのが「ナショナリズム＋民主主義」であり、ここには英国のブレグジット、トランプ現象や欧州での近年の保守の動き、日本では後述する参政党現象が入るように思います。

この新図式のもとで、日本経済再興の道は「ナショナリズム＋民主主義」のもと、「国民経済」の復活にあると考えます。これはグローバリズム全体主義に対抗して国家の軸を取り戻そうとする本書の立場です。何も鎖国を意味しているのではありません。

参政党が「日本の国益をまもり、世界に大調和を生む」としているように、それぞれの歴史や文化、自立性を持つ国々が共存共栄し合う多様性に満ちた世界を想定しています。

ただ、その前提は、民主主義を尊重し全体主義を排する共通の価値観です。最近では欧州諸国も加わってきたのが「自由で開かれたインド太平洋」。まずはこれを共通の繁栄基盤として、そこに人々が自由に生きがいと豊さを謳歌する国際秩序を築くことができれば、その魅力に惹かれて非民主主義陣営も良い影響を受けていく。

ここで新たな国際秩序づくりに大きく貢献するのが、本書で述べてきた日本新秩序であってほしいと思います。

世界の歴史をみると、かつてはパクスロマーナや中国の元帝国など、スーパーパワーである帝国が支配することで平和秩序をつくるという考え方の時代が続きました。これは他の民族や他の国家を征服して一つの帝国秩序に単一化するという意味でのグローバリズムでした。これを終わらせたのが1648年に成立したウェストファリア体制。究極のパワーは国家主権にあり、国と国との勢力均衡によって平和を維持するという考え方です。

ところが、これが植民地主義から再開されたグローバリズムの時代へと転換し、20世紀には米ソ、21世紀に入ると米中という「帝国」間の力の均衡と、かつては国際連盟、現在は国際連合という超国家機関が平和を維持する姿となりました。しかし、今回のウクライナ戦争も如実に示したように、いまや国連は平和維持装置としては機能していませんし、本書でも論じているようにグローバリズムの弊害が目立ってきました。

これからはウェストファリア体制へと回帰する時代。多様な国々の共存による勢力均衡が平和秩序をもたらす国際社会の姿をめざすのが、ナショナリズムの立場だと思います。

「国民経済」へのパラダイムチェンジ

ですから、経済のあり方も、それぞれの国がまずは「国民経済」という単位で国民本位の国民中心の豊かさを追求し、そのもとにお互いに協調領域を見出しながら各国が共存共栄していく、これこそがまさに日本が国是としてきた「八紘為宇」の国際社会でしょう。

ただ、世界の新潮流である③電子データ主導の流れが、この動きを大きく阻む可能性があります。かつて世界の戦略分野は、農産物や石油などの資源といった一次産品でした。食料確保に必要な肥沃な土壌や地下資源をめぐって世界の政治が動き、戦争が起こってきました。そうした具体的なモノから、前述のように、90年代からはモノを支配する金融が世界経済を主導する米国中心の秩序がいったん生まれたのですが、情報技術の急速な進歩で、最近では電子データが最大の付加価値の源泉になっています。

電子データを制する者が世界を制する。現在ではその覇者がグローバリズムと結びつくGAFAなどのグローバルプラットフォーマーたち。こうしたプラットフォームが存在しない日本は、電子データ主導の世の中で何をするにも寺銭をとられるのみの存在です。

これをブレークスルーし、電子データ主導の潮流を逆手にとって、国民経済の考え方のもとに自国の経済的繁栄や安全保障を図るのが、②ブロックチェーン革命の新潮流です。

この潮流を自らの国民性をフルに発揮しながら世界を先導する。前述のように、日本はこのことを人間本位の国民経済を組み立てることで果たしていく国になるべきです。

本書でも述べたように、日本は課題先進国としての強みを活かすことができる国です。そこにブロックチェーンを活用して課題解決モデルを次々と生み出し、日本新秩序の思想が反映された世界のスタンダードを各分野で自然に生み出す国になる。

そのような道を国民が歩む姿を、日本の新たなストーリーにできないでしょうか。

「国民国家」に向けて、日本で起こった「参政党現象」

2022年の参議院選挙では、国民経済も含めた意味での「国民国家」を唱える参政党が多くの国民の支持を受け、国政政党になりました。

一政党の街頭演説に、動員もしないのに千人も集まる、選挙の最終日には芝公園に1万人以上の国民が集まり、それはものすごい熱量でしたが、これを全国比例の候補者として体験した私は、まさに歴史的な国民運動が起こったと実感したものです。

この「参政党現象」の背景を考えてみると、まず、既成政党に対するしらけやあきらめの中で、投票したい政党がないと国民の多くが思っていることがあります。今の野党はだらしないし、しかたがないから消去法で自民党に入れているという人も多い。そのような中で、「だから自分たちで作ってみた」を標榜する手作り型の政党に期待が集まりました。

ただ、最も大きかったのは、日本人がもともと持っているDNAを参政党が呼び覚ましたことだったと思います。これは健全なナショナリズムです。

戦前戦中を知るご高齢の方も、ようやく本当のことを言ってくれる政党が現れたと言って駆け寄ってくれました。アジアを植民地から解放して人種差別のない平等な国際秩序を創ることが大東亜戦争の目的でした。戦後の自虐史観教育の中で、日本は戦争犯罪国とばかり国民は思わされてきましたが、それが戦勝国によるプロパガンダであり、日本人洗脳政策だったことが徐々に明らかにされています。

最近の新型コロナも、中国による土地買収もそうですが、どうもグローバルなパワーが日本の国を収奪し、私たちの生活や健康まで脅かしているのではないか。欧米では健康面から消費者が拒むような食品を日本人は食べさせられているのではないか。海外の製薬利権のために副作用のリスクの高いワクチンを打たされているのではないか。何かがおかしい……そんな気付きが国民に広がっていることを実感しました。メディアが報道しない本当のことを参政党は国民のために懸命に伝えているという意味でも共感を受けました。

日本はこのままで大丈夫なのか、自分たちの子どもにちゃんとした日本を残せないのではないかと、普通のお母さんたちまで危惧して参政党に集まってくる。それは国の安全保障だけでなく、食の問題や健康の問題だったりします。

今、世界的に健全なナショナリズムが広がっています。英国が自国の主権を侵害するＥＵ（欧州連合）というグローバリズムから脱却しようとしたのがブレグジットでした。米国ではトランプが出てきて「アメリカファースト」と言って支持され、大統領にもなりました。

ドイツでも極右とされる「ドイツのための選択肢」が２０１７年の総選挙で94議席も獲得、フランスでも極右とされた国民連合党首のルペン氏が22年４月の大統領決戦投票で40％以上、得票しましたし、イタリアでも極右勢力とされた「イタリアの同胞」のメローニ党首が同年10月に首相にまでなりました。

グローバル勢力が支配するメディアは、それらに極右とかポピュリズムとのレッテル貼りをしていますが、国民の4割が支持したり、首相にまでなる勢力が「極右」であるはずがないでしょう。世界を席巻するグローバリズムに対抗して自らの国家を大切にしようというナショナリズムの意識は、欧米各国で国民の中に着実に広がっています。

参政党現象は、これが日本でも起こっていることと密接に関係していると思います。

もう一つ付け加えると、国民が既成政党に魅力を感じなくなっている背景には、今の政治家たちの仕事が国政よりも選挙だということがあります。それが有権者に見透かされています。政策も選挙に勝つために議員たちの都合で公約として策定され、選挙後は実行されなかったり、選挙で言わなかったことを政権与党が実施したりする。

私は参院選で、選挙で当選することが仕事の「職業政治家」は要らないと訴えました。日本にも、党員たちが自分たちの思いで政策を創り、それを担う政治家を候補者として選び、選挙は党員たちが担うという、党員が主役の「近代型政党」が必要だという思いで、神谷《かみや》宗幣《そうへい》氏たちと結党したのが参政党でした。政治家は選挙ではなく、国政に専念する。

英米にはそうした政党の仕組みがありますが、日本には草の根民主主義の政党がありません。参政党は参加型民主主義の仕組みを具体的に実践している日本で唯一の党です。

参政党が伸びれば、戦後初めての歴史的な変化が日本の民主主義に起こると考えました。党員サポーター併せて10万人勢力となった参政党には2023年3月の時点で全国にすでに

200をゆうに超える支部があり、支部党員たちが「日本をよくしたい」という思いだけで自らの発意で主体的に党活動を全国各地で展開することで、党勢は拡大を続けています。

国防の基本は国民の決意から—参政党が進める創憲の意味

こうした参政党現象の背景となった国民の間での危機感の広がりとしては、軍事面の安全保障も無視できません。これについて日本が置かれた客観情勢を、リアリズムで考えてみましょう。3点に分けてお話ししたいと思います。

1つは日本を取り巻いている状況ですが、今回、経済制裁で日本はG7と一緒になってロシアを完全に敵国に回すことになりました。日本は中国・北朝鮮・ロシアという「核保有国三兄弟」がすぐ隣にいるという世界で一番、危ない国になっています。

中国の人民解放軍が21年の夏に、ユーチューブで「台湾有事で日本が手を出したら日本を核攻撃する」と流したそうですが、米国では大問題になっても、日本では報道されなかったようです。日本の主要都市は、中国の核ミサイルの標的としてすでに照準を定められています。東京が核攻撃されたら数分で完全に崩壊するというリアルな現実があります。

安倍元総理のイニシアチブで世界の地政学を数十年ぶりに変えたと国際社会で高く評価されている「自由で開かれたインド太平洋」には、英仏独といった欧州まで加わってきています。

中国共産党による全体主義の暴挙を抑え込もうとする国際秩序が誕生しています。

そういう中で日本はどういう位置にあるのかを考えないといけません。

昔、当時の西ドイツに住んでいたことがありましたが、その時は米ソ冷戦構造のもとで、西ドイツが「ヨーロッパ最前線」と言われていました。同国に核ミサイルがちょうど配備された時期でしたが、日本は今、米中対立のもとで「アジア最前線」として、当時の西ドイツと同じような状況にあります。しかも、自由で開かれたインド太平洋の中で、日本が一番、「弱い脇腹」になっています。日本がしっかりした核戦略を持たないと、他の西側の自由主義国家にとって迷惑になるとも言われているそうです。

実際に核兵器を国内で持つかどうかは別として、少なくとも日本が「核戦略」を持つことは、現実から突き付けられた課題となっています。

もう1つの現実は、武力というのは、かつては戦争するための手段でしたが、今は戦争をしないための手段になっているということです。「やられたらやり返す」ということがあるからやられない。戦争のためではなく、平和を維持するために保有するのが、今の武力。頭をそういう風に切り替えなければ平和を守れないのも現実です。

2番目に、国防の基本は国を守る「国民の決意」にあるということです。

今、中国の「静かなる侵略」は豪州だけでなく、むしろ日本のほうに対してこそ行われている。土地や企業の買収もそうですが、中国に売ればキャッシュが手に入り、コロナで疲弊した地方の中小零細企業は助かるでしょう。

こうして武力によらず、日常生活や経済活動において受ける侵略だからこそ、一人一人の国民が国を守るという決意を持たないと国は守れません。

参政党はこのリアリズムを踏まえ、国を守る決意を含めた国民合意を創ろうとしています。創憲といって、日本人の手で戦後初めて憲法そのものを書き上げる。「改憲」より「創憲」だというのは、それが、日本が自国の国益を守り、どのような国づくりをしていくのか、できるだけ多くの国民が自ら考えていただく契機となるからです。

その中で避けて通れないのが、条文上、自国を守るための交戦権をも否定している憲法第9条2項をどうするか。自衛のための武力行使はいかなる国も有する国家主権そのものですが、日本だけは憲法で自ら否定しています。

これでは真の主権国家とはいえません。

核戦略もリアリズムで考えねばならなくなった日本の安全保障

また、日本が核攻撃を受けたら米国が核で報復してくれるという「拡大抑止」が、本当に機能するかという問題があります。

中国は米国向けＩＣＢＭ（大陸間弾道ミサイル）を保有するようになっており、米国としても自国が中国から核の報復を受ける危険をおかしてまでも、日本のために中国を核ミサイルで報復すると考えるのは非現実的でしょう。歴代米政権は口約束はしますが、本音は違うという話も聞かれます。

日本が信じる米国の「核の傘」について、かつて米国のケネディ大統領は、フランスのド・ゴール大統領から、それが具体的にどう機能するか教えてくれと尋ねられて絶句したそうです。フランスは核の傘を信じず、核武装しました。安倍元総理は昨年亡くなる少し前に、拡大抑止の手続きを米国に確認すべきだと述べていたそうです。

やはり日本は自分で自分の国を核兵器に対して守らねばならないという現実があるとすれば、一つの考え方として、核アレルギーの強い日本には核兵器を国内に持ち込むことは困難であっても、ＳＬＢＭ（潜水艦発射弾道ミサイル）なら、遠い太平洋から撃ち返すという選択肢があるかもしれません。

ただ、聞くところでは、日本はやろうと思えばあっと言う間に核武装できる技術力は備えているそうです。相手の核攻撃を無力化する技術開発も日本なら考えられるという話もあります。実際に核武装するかどうかは別にして、そうした核戦略について政治的にタブーと言わずに、議論だけでもしている姿を示すことが抑止力になるはずです。

戦争が起きる原因にはグローバリズム利権の問題がある

3番目は、当面どうするかですが、それは「政治家の決意」です。暗殺された安倍元総理の存在自体が日本を守っていた側面があると言われます。その後、それが壊れている。

もっと根本的なことを言えば、そもそも戦争はなぜ起こるのか議論しようというのが参政党です。1つは軍事利権があります。アフガニスタンが終わって武器が売れない。グローバリストたちはプーチンをおびき出してウクライナ戦争に持ち込み、いまやそこが彼らのマーケットになっている。

もう1つはグローバル資本です。ロシアの天然ガスや石油などの資源利権は、エリツィン時代にグローバル資本が握りましたが、プーチンが国営化しました。独裁者と言われるプーチンがロシア国民にあれだけ人気があるのも、そのあがりで社会保障を充実させたからだそうです。グローバル資本としては、資源利権を取り戻すという狙いもある。

敵はグローバリズム全体主義です。私たち日本国民はまとまってこれと戦わなければなりません。敵は国内分断工作を不断に仕掛けています。世論戦、情報戦、心理戦、法律戦などと言われます。安倍氏国葬儀に対する反対意見の盛り上がりで日本は「分断」などと報道されましたが、国際社会の中では恥ずかしいことでした。

日本国民はテレビメディアを信じやすく、日本には簡単に政治まで操作されてしまうという脆弱性があります。だからこそ、国を守るという国民意識が重要です。

参政党は各国のナショナリズム勢力と連携しながら、軍事だけでなく、さまざまな国際利権を握る一握りの利益のために圧倒的多数の世界の人々が奉仕している構造を突き崩していくことが大事だと考えています。それが究極的には世界平和につながると思います。

党員が議論して創る参政党の政策

以上のように、参政党は、参加型民主主義を推進しつつ、グローバリズムに対抗して人間の自由を大切にし、何事も日本国家を軸にして課題を解決して未来を創造する政党です。

この参政党が22年の参院選で掲げていたのは、教育、食と健康、国まもり（松田プランもここに入っていました）の3本柱でしたが、これは選挙に際して有権者に分かりやすく3つのスローガンにまとめたもので、正式な政策は「新しい国づくり10の柱」として、それぞれの基本的な考え方がホームページに掲載されています。これは私が素案を創り、政策チームと半年をかけて議論し、最後は党員による投票で決められたものです。

10の柱とは、①人とのきずなと生きがいを安心して追求できる社会づくり、②国民に健康と食の価値、元気な超高齢社会で安心できる生活づくり、③豊かさを実現する上昇曲線の経済づくり、④自らの幸福を自ら生み出せる人づくり、⑤人類社会の課題解決へ世界を先導し続ける科学技術づくり、⑥自らの国は自ら守る国防力と危機管理力づくり、⑦日本らしいリーダーシップで世界に大調和を生む外交づくり、⑧国民自らが選択し参加する納得の政治・行政づくり、⑨地球と調和的に共存する循環型の環境・エネルギー体系と国土づくり、⑩自由と文化と日本の国柄を守り育てる国家アイデンティティづくりです。

これらについての私の考え方は、松田学著『日本をこう変える』(方丈社)をぜひ、お読みいただければと思いますが、その根底には、本書で述べたような、協働型コモンズを基本とする「コミュニティづくり」と、先端技術をフルに生かした「未来社会づくり」があり、これらを支えるものとしてトークンエコノミーがあるという構造になっています。

まさに党員が主役、政策も党員が考える党。23年に入ってから、10の柱ごとに党員による政策チームが正式に発足し、細部の具体的な政策策定が進められようとしています。

本書は経済に焦点を当てた本ですが、参政党の政策の特徴を知るうえでわかりやすいのは、2022年の米国中間選挙で大勝したデサンティス・フロリダ州知事の政策でしょう。

同知事が初挑戦をした前回2018年の知事選では、民主党候補に僅か0・4ポイント差という薄氷の勝利でしたが、昨年の中間選挙では約20ポイントの大差で再選しています。

デサンティス氏は昨年11月8日の勝利宣言演説で、「世界が狂気に走った時、フロリダは正気の避難所だった」と述べており、その政策の柱は次の4つに整理されます。

デサンティス知事が実施したコロナ&ワクチン政策は参政党の主張と同じだった

第一に、コロナ禍では、デサンティス知事は経済活動の制限を最小限かつ最短期間にとどめました。「ステイホーム」指示を出さず、学校における対面授業復活も早く、マスク着用の強要やワクチン接種の義務化も受け入れず、ワクチン接種証明の提示を雇用継続や入場許可の条件にしてはならないとする措置もとりました。つまり、メディアの批判を恐れて自由を制限する姿勢はとらず、この結果、フロリダは全米の中でも経済の落ち込みが小さくて済んだ州になりました。

参政党もかねてから、新型コロナやワクチンについて、世界最先端の科学的、医学的知見に基づき、過剰な社会的行動規制からの転換やmRNAワクチン接種の抑制を提言し、グローバリズム製薬利権の全体主義から自由を守る活動を展開してきた、日本では唯一の国政政党です。私はコロナ禍が始まった20年の3月頃から松田政策研究所チャンネルでの発信活動や講演、出版などを通じてこの議論をリードしてきましたが、井上正康《いのうえまさやす》・大阪市立大学名誉教授との共著が3冊、いずれも方丈社から出ていますので、ご参照ください。(『マスクを捨てよ、町

へ出よう』、『新型コロナが本当にこわくなくなる本』など）

日本は130年前のロシア風邪以来、コロナウイルスが定着していた国で、最初から欧米などとは新型コロナウイルスに対する免疫状態が違っていました。20年はコロナが流行ったおかげで超過死亡数が大きなマイナスにもなった世界でも珍しい感染小国です。

今回のウイルスは感染力が極めて強く、人為的に感染を抑えることなどできません。変異の都度、何度も無症候感染を繰り返して免疫を高め、ウイルスと共存するしか道はありません。感染の波ごとに集団免疫が達成されることで感染の波は収まります。

人間との平和的共存をめざすウイルスは集団免疫をくぐり抜けようと、より感染力の強いウイルス株へと変異し、前よりさらに高い感染の波が起こります。そして集団免疫が達せられて波が収まることが繰り返されているだけです。その間に免疫訓練によって重症化の割合は低下していきます。ＰＣＲ検査で騒いでいると、いつまでも騒動は終わりません。

感染小国だった日本では、グローバル利権の思惑に縛られた政府や、彼らがスポンサーとなっているマスメディアが、日本国民をすっかり「コロナ脳」とし、ワクチン接種に走らせました。23年には3回目接種率が世界最高水準になるまで、日本人は従順にワクチンの頻回接種を続けましたが、かつて世界に冠たる感染小国だった日本は、その年には、逆に世界に冠たる感染大国になってしまいました。

ワクチンの頻回接種は免疫力を低下させ、かえって感染を拡大するだけでなく、将来にわたる後遺症発症リスクを人体にもたらします。この後遺症対策が今後の最大の課題です。

ナショナリズムに立脚した政策が支持されるのは国際的な潮流

第二に、デサンティス知事は中国共産党政権によるスパイ行為を防ぐための州法の制定を議会に促しました。これも「国まもり」を掲げ、日本での中国の秘密警察の拠点や中国勢による土地買収、外国人投資家の株式保有割合など、国会で海外勢力の浸透に関わる多数の問題を質問主意書として政府に質《ただ》している参政党と共通する政策です。

第三に、教育分野では、デサンティス知事は「批判的人種理論」を公立学校で教えてはならないとの立場をとり、「ポリコレ」というグローバリズム全体主義的に対抗しました。これも、「自尊史観」など健全なナショナリズム教育を基本に据える参政党と共通しています。

第四に、デサンティス知事はエネルギー分野でも、グローバル利権ともいえる脱炭素原理主義を採らず、再生可能エネルギー以外の多様な選択肢を是認しました。

江戸時代に世界に先駆けて循環型社会を創った日本は、ＳＤＧｓの考え方では欧州よりも先輩です。参政党は自然の生態系の循環を基本に据える「日本版ＳＤＧｓ」を唱えています。再エネ一辺倒の政策ではＣＯ２は減りませんし、これも中国勢をバックとするメガソーラー問題にもみられるように、かえって自然環境や国民生活を破壊しかねません。

参政党のエネルギー政策の背景にある考え方を知る上では、武田邦彦先生との共著『これで日本は大丈夫！』（方丈社）が参考になります。

以上、デサンティス知事が4年間採ってきた政策をみても、フロリダ州ではまさにナショナリズムの政策が住民からの圧倒的な支持を受けたことがわかります。

これに「食と健康」を加えれば、参政党とほぼ同じです。ナショナリズムの復活は世界的な潮流であり、参政党の政策も世界の潮流です。

日本の食と農業に対するグローバル利権による支配構造

「食と健康」は経済面では農業政策に関係します。最後に農業について触れます。

農業は国家を支える土台ですが、農林水産業に携わる方々の平均年齢は70代を超え、今、日本から農業が消滅しかかっています。農業は過剰に保護されてきたと言われますが、実は、欧米に比べても日本の農家に対する保護の度合いは極めて低いようです。

食料自給率がカロリーベースで38％、穀物自給率ベースでは20％台と、1億2500万人も人口のいる国としては、完全に危険な数値です。最近では世界的な食料不足が懸念されている中で、ＳＤＧｓ推進派は、今度は「昆虫食」まで推進し始めました。

実は、日本の農業や日本人の食こそが、グローバリズムによって痛めつけられてきた分野です。前述のコロナワクチンの問題もそうですし、米国では使われなくなった抗がん剤を日本のがん指定病院では使用が義務付けられているといった医療全体の問題もそうですが、日本国民には知られていないグローバリズムの弊害は、食の分野でも顕著です。

参政党は問題解決の方向を、日本食の推進に求めています。日本人にあった健康によい食材です。国産の良い食材が食料自給率を上げ、食料安全保障にもつながると思います。

戦後、日本は食料を米国に依存するようになりました。GHQの占領下から、日本人の食生活は洋風化が進められ、小麦食が普及しますが、これは、カリフォルニア辺りでとれた小麦をロッキー山脈を超えて東部に輸送するより、太平洋を船で日本に輸送したほうがコストが安く、新しい大きな市場が開拓できるからだったと聞いたことがあります。

米国の農業利権が伝統的な日本食の習慣を変えたわけです。私自身は小麦そのものが悪いとは決して思いませんが、小学校で給食がなぜパンと牛乳なのか？なぜお米が出てこないのか？と、かつて子どもながらに疑問に思ったものです。

鎖国していた江戸時代には、当然食料自給率は100％でした。明治以降に日本に入ってきた研究者たちが驚嘆するほど、きわめて合理的な循環経済が成立していたわけです。

こんなに急激に食生活を変えた民族は、歴史上ないそうです。その後、肉食に必要な飼料も含め、日本の食はすっかり米国依存になり、穀物商社を始めとするグローバル勢力から足元を見られ、日本の消費者は彼らの草刈り場のようにもなってきました。

結果として、日本人は欧米の消費者が食べなくなったようなものまで食べているそうです。食品添加物の問題もあります。自由競争で安く食べられれば消費者の利益だと言いますが、それで結局、むしばまれているのは日本人の身体です。安く買っても健康を損なえば、高いものについてしまいます。自由競争だけでは決して消費者の利益になりません。

ちなみに、これは農水省出身の農業の専門家である鈴木宣弘・東京大学大学院教授から聞いたことですが、日本で農協改革の名のもとに農協叩きが進められてきたことには、政府内でも経済財政諮問会議にもみられるようなグローバル利権と結びついた官邸側と農水省との間の対立構造があるそうです。

ここにも前述の構造改革に似たような、国益重視のナショナリズム側に立つ各省庁と、市場競争主義のグローバリズムとの対立構造がありそうです。個々の農家では、資材調達でも農産物の販売でも価格交渉力などの面で巨大なグローバル勢力には歯が立たないところ、これを補ってきた「世界一の穀物商社」とも言われる農協は、グローバリズム勢力にとっては邪魔で仕方ないということなのでしょうか。

また、鈴木宣弘氏によると、食事をすべて日本食にすれば、日本の食料自給料が60数%まで上がるという試算が、かつて農水省から出されたにもかかわらず、このデータは消去され、ネット上のどこにも存在しないそうです。日本人が食料自給など考える必要はないという、グローバル商社やグローバル種子企業からの圧力があったのでしょうか。

質の良い日本食こそが食料安全保障と地域振興と「大和魂」復活のカギ

日本食だけでなく、オーガニックということが言われているように、可能な限り地産地消で地元の食材を日常的に食べることができれば、そのほうが日本人の健康にもいいでしょう。しかし、身体にいい地元の食材は安くはありません。消費者に、たとえ高くても良いものを買う食生活を営んでいただくためには、それなりの工夫や仕組みが必要です。

対策の一つとして、参政党は、日本の農家と契約して直接販売することも考えています。

そもそも日本は、米国や豪州に比べ、農家一戸当たりの農地が狭く、競争しても対抗できるはずがなく、いくら生産性を高めても限界があります。

だから、公的な介入によって農村の共同体を守っていかなければなりません。

良い食材だと高くつきます。そのために、米国のフードチケットのような形で、消費者側に助成をする政策も考えられるでしょう。

また、何といっても地域振興の基本は農業です。地域コミュニティーの中に農業はあります。定年後は農業をやってもいいというリタイア組もいますし、若い人でも生きがいとして農業に従事したい人もいるでしょう。

それらをまとめる農業コミュニティを全国に展開できるようにしていきたいものです。大規模化で利益を求める農業の一方で、質の良い食材を供給する農業に向けて、消費者に良い食材を楽しんでいただくための政府の援助が、農家と消費者の両方に対して必要です。

日本の農家の実入りは実際には少なく、前述の鈴木宣弘氏によれば、政府の補助金も農家に届く前に中間でかなり抜かれているとのこと。農家の財政的な保護は、食料安全保障として必須です。他国は安全保障の中核に食料を入れています。食料を輸出することで、他の国に影響も与えられますし、いざというときに、自分の国も守ることができます。

日本には世界で一番恵まれた土壌と水と空気があります。その国土を活かすというのが、本当の保守の思想だと思います。

参政党は「大和魂を取り戻そう」と言っていますが、本書でもすでに述べたように、自国に対する誇りから根差すことになる自尊心こそが国力の源泉です。GHQによる洗脳以来、これを他国と比して異常なまでに喪失した日本人にとって必要なのは、もう一度、日本の歴史や伝統、すぐれた国民性に立ち返って自信を取り戻すこと。

今の政治は税金とか社会保障など（それらも大事ですが）、お金の話ばかりですが、それだと

「今だけ、カネだけ、自分だけ」のグローバリズムに精神面まで支配されてしまうだけでしょう。「やまと心」といった精神論を掲げる政党は参政党ぐらいだと思いますが、このことこそが政治の肝心な役割である。そんな時代ではないかと思います。

感謝の気持ちで日本食をいただく食習慣は「やまと心」にもつながるものだと思います。

おわりに　国民国家主義へ、新しい時代をともに創ろう！

本書は方丈社の宮下研一《みやしたけんいち》社長から、インボイスの導入でみんな困っている、これに反対するメッセージを次の本で出せないかという相談を受けたところから企画が始まりました。

そして、どうせ新著を出すなら、23年4月には統一地方選もあるし、その後の解散総選挙も見据えて、まだ私が十分に世の中に発信できていない、街頭演説でも伝えにくい経済の話や、国政政党になっても未だメディアにはなかなか取り上げられていない参政党の経済政策についても、著作として発信してはどうかという話になったものです。

私による執筆作業は２０２３年の元旦から始まりました。そこで本書の最後では、前年の22年を振り返って、23年はどんな時代の幕開けになるのか、私の思いを簡単に綴っておきたいと思います。

まず、２０２２年は国内外の激動が本格化した年でした。現在の日本は、①紀元7世紀における白村江《はくそんこう》の戦い、②鎌倉時代の元寇《げんこう》、③幕末の植民地化の脅威、④第二次大戦時に米英からの圧迫で戦争に追い込まれたことに続く、⑤国家開闢以来の五回目の国難に直面しています。それぐらいの認識を国民は持たねばならないでしょう。

現に22年は、これまで人々が予想しなかったような異常なことが次々と起こった年でした。

ウクライナと核戦争の脅威、安倍元総理暗殺、台湾有事の現実化の恐れ……そして、それらの背後にあるグローバリズム全体主義の脅威が明確化した年でもありました。22年はグローバリズム全体主義のもとで起こる危機の始まりの年だったかもしれません。

すでに三年前には新型コロナパンデミックが始まり（20年1月）、二年前にはグローバルプラットフォーマーが国家主権を超えた瞬間ともいえるトランプ大統領のアカウント閉鎖という事件が起こる（21年1月）など、これまでも十分な予兆がありましたが、22年はグローバル勢力の思惑がもろに姿を現した年となったといえるでしょう。

新型コロナもそうです。グローバルなワクチン利権の利益が、各国の国民の健康よりも優先する、そんな構図が明確化した年でした。

ウクライナ戦争についても、そもそもがグローバリズム勢力が引き起こした戦争といえますし、安倍元総理暗殺については誰も真相を追及しないという不思議な現象まで起こりました。もしかすると、政府与党までがグローバル勢力に支配されている？　そんな思いを抱く人々も現れています。

台湾情勢についても、習近平三期目入りで中国が独裁体制・統制経済へと本格的に動き始めています。こうした中で、日本国民の危機意識がかつてなく高まり、防衛費ＧＤＰ２％が受容されるまでになりました。

日本人にとっては、まさに「目覚め」の年でした。

こうして国民の間に気付きが広がり、グローバリズムによるSilent Invasionに対する危機意識も日本人の間で高まりました。その中で起こったのが「参政党現象」でした。

参政党は参院選では、国民からの寄付だけで全選挙区に候補者を立てるなど、前述のように前代未聞続きの現象を起こしましたが、これは従来の政治常識では理解できなかったことでしょう。

何か裏がある、スポンサーがいる、統一教会が応援している、新興宗教のようなものだ、カルトだ、オーガニック政党だ、軍国主義だ、極右だ、陰謀論に振り回されるな……少なくとも参政党の立場や政策がそれらとはまったく異なるものであることは本書を読まれても明らかだと思いますし、いずれもが事実に反しますが、そんな数々の誹謗中傷やフェイクによる印象操作がさんざんになされました。

年末からは某政党からの活動妨害まで受け、話題にもなりました。

これには、独自の国際情報網と歴史からの学びから積み重ねられてきた、メディアが報道しない「不都合な真実」を訴え、日本の国益を前面に出して正論を主張する政治勢力の台頭を恐れる既得権側からの弾圧工作もあるのだろうと推察されます。

欧米でも、今では主流のナショナリズム勢力も、最初はポピュリズム、極右だのナチスだのといったレッテル貼りがなされたものです。しかし、それぞれの国民の間で着実に支持が広がっています。

参政党現象は、幕末に「黒船」に象徴されるグローバリズムが日本に押し寄せ、日本人の間に「目覚め」が広がり、志士たちが立ち上がった光景とも重なるかもしれません。

その後、日本では1868年に明治維新が起こりましたが、歴史を振り返ってみると、明治維新から77年を経て日本は1945年の敗戦を迎えました。この77年の時代は、グローバリズムに向き合った日本が、ナショナリズムによって日本らしい近代化を遂げた77年でした。そこには国家としての軸がありました。

敗戦で終わった77年とはいえ、米英ソから戦争へと追い込まれた日本が「大東亜戦争」で掲げたのは、「八紘一宇」の人種差別なき平等な国際秩序であり、アジアの植民地からの解放でした。日本は戦争には敗けましたが、戦争の結果、植民地が次々と独立して19世紀的な植民地秩序は世界から消え、戦後の平等な国際秩序が誕生しました。

その意味で、私たちの祖先は世界史的な偉業を成し遂げたのであり、日本は理念の面では大東亜戦争に勝利したということもできます。しかし、これは米国など戦勝国にとっては不都合な真実であり、これを徹底的に粉砕すべく、日本を戦犯国とする極東軍事裁判史観が押し付けられ、日本国民は歴史に例をみないほどの洗脳を受けることになりました。

これに対し、1945年の敗戦から昨年の2022年までの、同じ77年間は、GHQの占領から始まった日本のナショナリズム衰退の77年だったといえるでしょう。その極めつけは本書でも述べた1990年代の「第二の経済占領」だったかもしれません。日本は主要国の中で最も経済成長しない国、賃金の上がらない国へと落ち込みました。

では、「ポスト戦後77年」となる次の時代はといえば、私は、ナショナリズム復活の時代にならねばならないと思っています。

より超長期でみれば、21世紀が文明の転換期とされる中で、日本を軸として新たな地球文明の建設に向かう数百年が始まる必然性があると考えれば、これからは、私がかねてから提唱してきた「日本新秩序」の本格化の時代に入ってほしいと考えています。

この流れにあって、今年2023年は、グローバリズムに対抗する日本ナショナリズムの位置づけを明確にすべき年ではないでしょうか。まさに批評家の西村幸祐《にしむらこうゆう》氏が述べるように「自らの世界史的な立場を提示する国になることを開始する年」です。

昨年に明確化したのは、日本が「永久占領」のもとに置かれた構造でもありました。

その支配者たるグローバル勢力の行動原理とは、要するに経済的利益。前述のように、こうした欧米の表層的な原理の限界を指摘して、日本国こそが高い次元の精神性や倫理性、知性を有する国であることを論じていた知識人たちが戦中にはいましたが、今年はこのことが日本のテーマになるべき年だともいえます。

いまや日本こそが、世界的な価値観を提示する国にならねばならない。これによって、文化も民族も伝統も人間も何もかも破壊して同質化しようとするグローバリズムを超克する動きが促され、多様性のもとに人類が共存する世界秩序が生まれる。

そのためには、日本が日本であるために、真の独立を達成しなければなりませんし、その必要条件が自主防衛であり、前述の「創憲」です。それは世界のために必要なことでもあり、世界がそれを求めている時代になっていると思います。

しかし、産みの苦しみと言うように、今年は眼前には危機が次々と起こる年になります。22年に始まった危機は序の口です。23年は危機が拡大する年になるでしょう。

ただ、様々な危機の根本にあるグローバリズムがなくなることはないのも事実です。

私たちはグローバリズムに飲み込まれることなく、これとうまく折り合いをつけていかねばなりません。その際に不可欠なのが、維新の時と同様、日本の国家としての軸です。今年はこのことへの覚醒が国民の間に広がる年になってほしいと思います。

色々な危機が起きる時代にあって、危機は時に絶望を生むでしょう。しかし、絶望を共有すれば、希望になります。その場が参政党だと思います。そもそも、これだけ変化が激しい時代は歴史始まって以来かもしれません。この大変化の時代に生まれ合わせ、この時代を生きることができる私たちは幸せだと考えるべきではないでしょうか。

今年の令和5年は干支では「癸卯《みずのとう》」の年。「癸」は物事の終わりと始まりを意味します。今年は戦後77年に及んだ「永久占領」に区切りをつけ、良い意味でのナショナリズムが始まる年だと捉えたいものです。そして「卯」は、「茂」という字が由来で、「春の訪れ」、「冬の門が開き、飛び出る」という意味があり、また、卯（うさぎ）は、その跳躍する姿から「飛躍」、「向上」を象徴します。

今年が戦後77年を終わらせ、新しい国づくりに向けて日本国家を軸とする次なる飛躍に向かう年となることを祈るものです。

ただ、ナショナリズムという言葉には、ナチスを連想させるマイナスイメージが欧州などにはあるそうです。それへの配慮から、むしろパトリオティズム（愛国主義）という言葉が主流だそうですが、それも日本では誤解を生む可能性なきにしもあらず。

そうであれば、参政党が「グローバリズム全体主義」への対抗軸を「自由社会を守る国民国家」としてきたように、「国民国家主義」という言葉を使ってはどうでしょうか。

これは本書で述べた「国民経済」を包含する言葉であり、国民を主役とする参加型民主主義と国家の軸とを結びつける概念にもなります。

本書で追求してきた「経済の論理」を超えるのが、人間中心の国民国家主義であり、そのもとに、まさに「経済」の原義であって政治の基本でもある「経世済民《けいせいさいみん》」が達せられる。

この言葉をもって『日本再生―経済篇』と題する本書を締めくくり、いったんお話を終えたいと思います。

長文をお読みいただき、ありがとうございました。

松田 学

まつだ・まなぶ

参政党代表。松田政策研究所代表。元衆議院議員。1957年京都生まれ。1981年東京大学経済学部卒。同年大蔵省入省、西ドイツ留学。大蔵省など霞が関では主として経済財政政策を担当、マクロ経済学のスペシャリスト。内閣審議官、財務本省課長、東京医科歯科大学教授等を経て、2010年国政進出のため財務省を退官。2012年衆議院議員。2015年東京大学大学院客員教授。松田政策研究所代表のほか、(一社)デジタルアイデンティティ推進コンソーシアム代表理事、(一社)ワクチンハラスメント救済センター理事、バサルト株式会社代表取締役社長、横浜市立大学客員教授、そのほか多数の役職に従事。YouTubeの松田政策研究所はチャンネル登録者数26万超、ブロックチェーンなどデジタル通貨・財政論の第一人者。著書に『競争も平等も超えて』(財経詳報社)、『永久国債の研究』(光文社・共著)、『TPP興国論』『ニッポン異国論』(KKロングセラーズ)、『サイバーセキュリティと仮想通貨が日本を救う』(創藝社)、『いま知っておきたい「みらいのお金」の話』(アスコム)、『投票したい政党がないので自分たちでつくってみた』(扶桑社・共著)、『日本をこう変える』(方丈社)『新型コロナが本当にこわくなくなる本』『新型コロナ騒動の正しい終わらせ方』『マスクを捨てよ、町へ出よう』(ともに方丈社・井上正康共著)、『これで日本は大丈夫!』(方丈社・武田邦彦共著)、『日本を危機に陥れる黒幕の正体』(宝島社・馬渕睦夫共著)など多数。

参政党とは

参政党「新しい国づくり10の柱」
https://www.sanseito.jp/jyunohashira/

日本《にっぽん》再興《さいこう》　経済編《けいざいへん》

グローバリズム支配から日本を取り戻し、世界をリードする財政・通貨革命

2023年4月10日　第1版第1刷発行

著者　松田《まつだ》　学《まなぶ》

発行人　宮下研一

発行所　株式会社方丈社
〒101-0051
東京都千代田区神田神保町1-32 星野ビル2階
tel.03-3518-2272 / fax.03-3518-2273
ホームページ https://hojosha.co.jp

印刷所　中央精版印刷株式会社

ISBN978-4-910818-04-7